U0135072

大人也喜歡的繪本

2

企劃：魏淑貞・賴嘉綾

★☽ 星月書房

contents

20
People

×

150
Books

二十位繪本嗜讀者
與繪本的邂逅及繪本推薦。

11

劉清彥

繪本作家、閱讀推廣者。從高中開始在教會和小朋友說故事，說故事歷史超過三十年，
並將繪本共讀經驗集結成書。2010年榮獲台北市立圖書館「好書大家讀」二十年得獎總數翻譯者
第一名。以電視兒童閱讀節目「烤箱讀書會」榮獲102年電視金鐘獎最佳兒少節目主持人獎。

我生命中的圖畫書

這些書令我著迷，不僅常常帶給我當頭棒喝的醒悟和思考，
我更好奇這些創作者何以能夠用如此簡單的圖像和文字，
說出有趣、動人又意喻深遠的故事。

小學四年級搬到大學旁的新社區，兩位來自芬蘭的宣教士借我們家客廳，每個星期天下午，招聚鄰居的小朋友一起聽故事。我從她們的布包裡第一次發現圖畫書。在那個不知圖畫書為何物的年代裡，她們從布包裡拿出這種開本很大，又有美麗圖畫的故事書，馬上攫取我的目光。看著她們一頁翻過一頁，整個人也彷彿潛進書中，搭上挪亞的大方舟，也跟在小牧童身後，偷偷溜進那間充滿榮光的靜謐小馬房。那種經驗實在太神奇了！三年後她們離開時，特別留下一套聖經故事的圖片給我，後來我才知道，原來那就是日本人用來說故事的「紙戲」。而我的圖畫書閱讀經驗，也從這些聖經故事漸漸展開。

升上高中以後，我也開始在教會裡跟小朋友說故事，童年鮮明的記憶累積為一種說故事的本能，芬蘭宣教士給我的那套紙戲，成了我跟小朋友說故事的第一本圖畫書。

進入大學後，開始加入圖書館的說故事志工，也就在那時候，我宛如愛麗絲掉進夢境般奇幻眩目的兔子洞一般，栽進了圖畫書的世界。這些書令我著迷，不僅常常帶給我當頭棒喝的醒悟和思考，我更好奇這些創作者何以能夠用如此簡單的圖像和文字，說出有趣、動人又意喻深遠的故事。

　　大四那年，誠品書店成立了兒童館，只要有空，就不辭老遠從木柵搭車到仁愛路圓環，鑽進那個小空間，翻閱裡面的中英文圖畫書。原文書很貴，當時經濟又拮据，終於在大四畢業那年，狠下心來買了第一本英文圖畫書Old Henry，當作自己的畢業禮物。從此也愛上那位線條靈動的插畫家Stephen Gammell史蒂芬‧格梅爾。

　　研究所課業告一段落後，原本計畫飛往英國完成自己的「博士夢」，沒想到被一場惡疾狠狠摔

倒！當時無法吞嚥飲食，骨瘦如柴，身心俱殘，整整兩年足不出戶。待體力稍微恢復後，書店成了我唯一消磨時間的地方，圖畫書也成了我逃離病痛的避風港。那段時間，我開始發揮研究所寫論文的精神研究圖畫書，為了更瞭解圖畫書和創作者，我把各種能到手的資料或總論書籍全拿來啃。越深入研讀，越發覺這些「小童書」背後所隱藏的「大學問」。

　　於是，我決定投身其中，從翻譯開始。只是圖畫書翻譯的難度遠勝於我的想像，如何利用最精簡的文字去呈現最飽滿的意喻，又要兼顧朗讀的流暢悅耳與印刷的美觀，成了極大的挑戰。

　　然而，說故事和翻譯圖畫書終究還是無法滿足，讀多了，開始手癢。就像許多童書作家一樣，我開始從自己的童年，以及和小孩的相處經驗中尋找挖掘題材。我喜歡人的故事，特別是真實人

物，我用文字記錄他們的故事，也期待這些生命故事能帶給小孩美好的影響。此外，我也關心和小孩成長有關的事，希望將他們的心情、處境和面對的各種困難呈現出來。透過寫作，好好回顧了自己的成長歷程，也仔細觀察了身邊的小孩，使我對圖畫書有了和過往不同的觀點。

現在，我的圖畫書人生從說故事、翻譯、寫作、演講，擴及到廣播和電視，我試著以各種可能方式將這些書引介給大人和小孩，希望他們的生命也能因為有圖畫書陪伴，更顯豐富多彩。

劉清彥的

繪本推薦

Fly Away Home（《我想有個家》）

文：Eve Bunting伊芙‧邦婷
圖：Ronald Himler 羅奈德‧希姆勒
譯：劉清彥（中文版已絕版）
出版：HMH Books for Young Readers

Eve Bunting伊芙‧邦婷是我刻意向出版
社（東方出版社）推介的作者。這是我
和她相遇的第一本書。那年，我甩不開
纏身的病痛，圖畫書是我唯一的逃城。
一天下午，我在書店兒童館翻開這本原
文書名為Fly Away Home的圖畫書，那
對坐困機場、無家可歸父子的遭遇和心
情，竟與自己身處人生低谷尋不著出路
的心境全然疊合。我讀著讀著，淚水潸
然而下。合上書後，我在心中告訴自
己，總有一天，我也要像書中的那隻小
鳥，飛離機場，昂首高歌。

Old Henry

文：Joan W. Blos ｜ 圖：Stephen Gammell
出版：HarperCollins

這是我購買的第一本圖畫書。忘了自己
當時對書中的文字有沒有特別的感覺，
只記得我被插畫深深吸引。靈動活潑的
線條，瑰麗繽紛的色彩，加上不斷牽動
視線的構圖，讓我忍不住一頁翻過一
頁，看見老亨利如何整修那棟老舊的大
房子，在裡面自在生活，卻遭到村民誤
解又搬離，以及最後村民的覺悟。幽默
又充滿意喻的圖文，將人與人的相處之
道呈現的淋漓盡致。

《大猩猩》

文、圖：安東尼・布朗｜譯：林良
出版：格林文化

研究所的時候節衣縮食，用分期的方式買下自己的
第一套圖畫書，成為苦悶課業中的荒漠甘泉。《大
猩猩》是其中的一本，也是第一本開啟我對圖畫書
圖像語言閱讀的書。除了著迷於那些在畫面中神出
鬼沒的猩猩圖案，包括顏色對小女孩心情的描繪與故事氛圍的營造，以及構圖上的
巧妙安排與前後呼應，讓我每次翻閱都宛如掘礦般有新奇的發現。原來，圖畫書的
插畫可以呈現許多文字無法描述的內容與意涵；原來，圖像語言與藝術也是一門大
學問。於是，這本圖畫書啟動我開始研讀藝術欣賞和藝術史的書。

世界為誰存在？

熊寶寶問媽媽。
她鑽出冬眠的洞口，
挨近媽媽毛絨絨的肚子。

《世界為誰存在？》

文：湯姆・波爾｜圖：羅伯・英潘
譯：劉清彥｜出版：和英

經由在書店工作的友人推薦，我喜滋滋接下第一本圖畫書的翻譯。當時，我翻譯的主要是成人文學書，平均一個月可以譯完一本十萬字的書。然而，這本只有三十二頁、中文不到兩千字的圖畫書卻耗掉我整整三個月的時間翻譯。如散文詩般的韻文，簡單深刻，讀來還有優美的韻律和節奏。譯完初稿後，我一直反覆大聲誦讀、修改了數十次，才敢交稿。翻譯這本書使我深深體會，為什麼圖畫書的譯文必須用字精簡，語意飽滿，還要好聽又好看。

《地球的禱告》

文：道格拉斯．伍德｜圖：P.J. 林區
譯：劉清彥｜出版：道聲

書房裡堆了大約兩萬多本圖畫書，常常有人問我，這當中我最喜歡的是哪一本？我想至今我還是會毫不考慮的從架上抽出這本《地球的禱告》。作者透過一段祖孫散步過程中的對話，將生命的價值、天地萬物共存共榮的關係，以及人生信仰全都表露無遺。故事中祖孫深刻的情感令人動容，也帶出許多成長的領悟。我尤其喜歡書中的細膩寫實、視野卻極為開擴的插畫，使整本書讀來彷彿電影般身歷其境。這是花最多時間翻譯的一本圖畫書，也是我在演講中最常分享的一本書，每每讀完故事，總有人感動落淚。

17

《小喜鵲和岩石山》

文：劉清彥｜圖：蔡兆倫｜出版：彩虹愛家

動完食道手術，有一段時間完全無法進食，身體消瘦成「紙片人」，整天臥床，覺得自己就像一座光禿禿、了無生氣的岩石山，絕望、無助又孤單。幸好當時有母親的照顧和教會長輩的關心，他們就像小喜鵲，在我心中埋下一顆顆種子，使我的生命漸漸重現生機。

我居住的大肚山，曾經有一片廣達百餘公頃、光禿荒蕪的坡地，後來有人捐款，有人上山植樹，五年後，那片山坡地終於變成了翠綠茂密的樹林。那群努力造林的人也像小喜鵲，復甦了這座山的生命力。

寫這個故事時，心中懷抱著一個小小的期盼：希望每個人都可以成為小喜鵲，關懷身邊那些身心受傷和悲苦的人，為他們帶來新生的希望；也為我們周遭的環境多盡一份心力，讓我們生活的世界充滿活力、欣欣向榮。

我們來到爺爺最鍾
愛的櫻花樹下。這
是爺爺種的第一棵
樹，他特別為奶奶
種的。

爺爺說：「只要看
著這棵樹，就覺得你
奶奶在對我微笑。」

樹旁的小木牌上，寫
著爺爺為奶奶許的願望：
「希望阿櫻的笑容，永遠像
春天的櫻花樹美麗動人。」

我雖然沒有見過奶奶，但
是我相信在爺
爺心中，奶奶
永遠像盛開
的櫻花那
麼美。

《爺爺的櫻花道》

文：劉清彥｜圖：曹俊彥｜出版：道聲

我向來欽佩那些一生默默耕耘和付出的人，也常常為
他們的故事所感動，所以只要知道這樣的人與事，這
些主人翁總會在腦中盤旋，直到我將他們的故事寫下
來。這位在埔霧公路花了二十五年、栽種了三千多
株櫻花樹的王海清先生便是一例。王海清人如其樹，
他樸實謙遜，堅毅耐勞，即使中風惡疾也沒有讓他倒
下。他不僅展現了冬季櫻花樹的傲骨，和夏天櫻花樹的勃發生命力，更因著一生
耕耘付出，讓自己的人生宛如盛開一樹、繽紛耀眼的櫻花。雖然他總是笑稱，種
樹只是自己愛玩，弄些「老人工」，卻是將美麗的山林，成為最珍貴的禮物，送
給了生活在這塊土地上的每一個人。

12

黃惠玲

雲科大應用外語系副教授，曾在美國與澳洲研究兒童文學與多元文化繪本。
目前投入於繪本創作，希望結合英語繪本與原住民語言文化的學習。

圖像放大閱讀深度

我非常著迷於插畫可以扭曲或是延伸文本含蓄描述的誇張表現，
圖像能堂而皇之的「喧賓奪主」，可以獨立說故事
或是和文本一起說故事，這樣的視覺表現以及視覺閱讀能力
是我們習慣文字閱讀的人容易忽略的。

　　與繪本故事的相遇在1980年代，那時候翻譯自日本的繪本開始以套書的形態出現，而我和女兒一起享受一個充滿圖畫書的童年。當中最有印象的是五味太郎的《爸爸走丟了》還有《小金魚逃走了》這兩本書，它們顛覆了我對書的印象。原來書頁可以不用方方正正、完完整整，還可以被挖洞、被切割，讓繪者的巧思自由的在每一頁嘗試視覺遊戲，讓每一次翻頁都有驚喜。那是我第一次知道書可以跟讀者真正的互動。因為這樣的經驗，讓我開始注意到圖畫書。

　　讀研究所的時候，我的研究主題是兒童文學，尤其是西洋兒童詩中荒誕不羈的幽默感。我當時比較幾個有名的兒童詩人的作品及他們的插畫，像是英國五行打油詩的作家Edward Lear、Shel Silverstein謝爾・希爾弗斯坦的詩以及他那獨具個人風格的畫風，還有愛麗絲夢遊奇境中的詩作以及那本書經典的插畫。我非常著迷於插畫可以扭曲或是延伸文本

黃惠玲的書房

含蓄描述的誇張表現（圖一），因為一般的插畫大多是點綴與裝飾文本的功能比較多，而他們的插畫卻能堂而皇之的「喧賓奪主」；圖像可以獨立說故事或是和文本一起說故事，這樣的視覺表現以及視覺閱讀能力是我們習慣文字閱讀的人容易忽略的。

在美國讀博士班的時候，開始對繪本裡面所呈現的文化背景感到興趣，因為我發現在美國看到的非主流故事繪本，大都是傳統古典故事，插畫的風格當然也非常古典，甚至還有刻意強調的意味。因為發現兩本有關葉限的繪本，讓我了解到原來灰姑娘的故事最早的書寫文本是在中國，而且即使不同的文化似乎都有相同的故事，我開始收集有關灰姑娘的所有繪本，並且分析這個故

圖一
Falling Up《往上跌了一跤》
文・圖：Shel Silverstein謝爾・希爾弗斯坦
譯：鄭小芸
出版：玉山社／星月書房

圖二
Blue Willow
文：Pam Conrad
圖：Susan Saelig Gallagher
出版：Philomel

事在不同的文化背景所呈現出來圖像與內容的差異。例如西方灰姑娘的玻璃鞋在中國或是亞洲其他國家就是金縷鞋；在中國幫助灰姑娘的魔法來自一條魚，在西方變成了神仙教母。因為注意到文化差異所呈現的圖像差異，就開始注意到繪本裏面有意無意所呈現的文化刻板印象。譬如說，如果故事來自中文背景，那麼就會發現故事的人物通常都有丹鳳眼（圖二）。這些刻板印象表現在圖畫書裏面，就可能只會加深讀者原來的刻板印象，對學習文化差異可能是一個阻礙。因為這樣，圖畫書對文化認知的影響更讓我覺得不能再把圖畫書當成小小孩的讀物，畢竟圖像可以立即在我們腦海中留下印象，這樣的影響比文字更直接有力。

所以我喜歡的圖畫書大都具有能夠挑戰視覺閱讀能力的圖像，這些圖畫書或許只有簡單的故事文本，但是因為圖像的搭配，讓故事的深度以及被詮釋的空間可以無限放大。

現在我就來介紹我喜歡的六本書。

黃惠玲的

────────────

繪本推薦

《緋紅樹》

文、圖：陳志勇｜出版：和英

第一本想要分享的是《緋紅樹》。這是澳洲作家Shaun Tan陳志勇的作品，也是我在繪本創作課裏一定要跟學生分享的作品。有些人會把它歸在療癒系列的作品，但是如果我們能更深入了解作者在圖像表現上的用心，我們就更能體會情感的深度。這本書療癒的點不是只有小女孩最後回家發現代表希望的小紅樹原來一直在自己房間裏，而且已經茁壯成長；在每一頁當中，作者一直在呈現希望與失望並存的想法。第一次看到這本書是我在澳洲做研究的時候那時候在書店翻到這本書我為之驚艷，久久不能自己。我驚訝於文學中所謂的「意象」竟然可以在圖畫書中表現得淋漓盡致。那片代表希望的紅葉，一直跟在小女孩身邊，好像捉迷藏一樣等著讀者發現。孤獨的小女孩不被世界了解，也不了解世界。她拿著大聲公在偌大的原野上想要說些什麼，四周卻一個人也沒有，而她講出來的話也破碎成無解的字母；深不見底的沮喪就像那隻醜陋的深海大魚。她等待著希望，但漫長的等待似乎沒有盡頭，就像那鸚鵡螺上代表永恆的漩渦；如果等待變成永恆，那希望在哪裡？但是，如果你仔細找找，就會發現「希望」一直跟著小女孩，隱身在每一頁的某個角落。這是一本挑戰視覺閱讀能力與詮釋能力的繪本，每一頁都隱藏著圖像密碼，等待你來解碼。

《子兒吐吐》

文、圖：李瑾倫｜出版：信誼

這一本繪本可稱為是台灣的經典繪本，故事裡的胖臉兒代表了兒童天真的推理、想像、隨遇而安的樂天，以及那個自然的「真我」，想吃就吃，想哭就哭，想改變想法就改變想法的自在。相信大部分的讀者都能馬上看出這些特點，但是比較少人注意到胖臉兒之所以這麼天真可愛，是因為他知道不管他變成怎樣，他的父母都會一樣愛他，當他想到爸爸媽媽也許會覺得他頭上長樹的樣子很可愛，他就開始轉變心情，想像著頭上長樹的優點，進而期待樹可以長出來。最後樹沒長出來時，雖然有些失望，但是馬上又能自我安慰，認為「萬一長出的木瓜不好吃就糟糕了」。

繪者運用了一些漫畫中常見的表現手法如對話泡泡，字形大小代表情緒和說話音量等，又使用畫面切割來代表時間線及動態，雖然畫面有些複雜，圖像說故事的深度也沒有長足發揮，但是因為人物刻劃成功，故事線也很清楚，是一本溫馨親民的好作品，讓我每次不小心把子兒吞下去的時候，就會想到可愛的胖臉兒。

《不會寫字的獅子》

文：馬丁·巴茲賽特｜圖：馬克·布塔方
出版：米奇巴克

　　台灣本土繪本中（除了成人繪本）幾乎不見以男女浪漫題材為書寫主題的兒童繪本，但是歐洲的繪本就有不少這樣故事。這本法國的兒童繪本就以獅子想要其他動物幫他寫信追求女獅子的過程，闡述每個人因權力地位、背景、生活習性不同而產生的對同件事不同的觀點與作法。求愛與取悅心上人這件事大家雖然都知道，但是如何做，當然獅子和其他動物的觀點是不一樣的；譬如糞金龜準備新鮮的牛糞給心愛的人，獅子就不可能這樣做。但是我們容易以自己的觀點為主，認為大家都應該和我們有一樣的看法，因此如果結果不如預期時，就大失所望。

繪者以簡單鮮明的色彩來反映獅子的個性和不同的心情，尤其是不同顏色給人不同的印象與連結，像是獅子那棕紅色的頭髮很快讓人聯想到他的壞脾氣。獅子心裏充滿愛時，畫面就幾乎都是粉紅色，連獅子的臉也變成粉紅色；獅子失望或錯愕時畫面頓時變成陰暗無彩色。簡單鮮明的人物個性搭配簡單鮮明的色彩變化，圖文呼應的表現手法，凸顯也嘲諷獅子自以為是的自我中心觀點。

《狐狸》

文：瑪格麗特·威爾德｜圖：藍·布魯克斯
譯：林真美｜出版：遠流

狐狸這本書探討友情與背叛這樣一個成熟的主題。故事的述說從蝴蝶頁就開始，讀者看到一隻狗叼著一隻鳥，飛奔穿過正被大火吞食的森林，畫面火紅，乾柴枯木零落四處，我們不知道狗和鳥的關係，也許鳥是狗的食物，但是當文字出現，兩人關係豁然而解。因為森林大火，烏鴉的翅膀燒壞了，但是一隻狗救了他。這隻狗的一隻眼瞎了，他說服沮喪的烏鴉，兩人互相扶持，狗成為烏

鴉的翅膀，而烏鴉則是狗的眼睛，直到有一天來了一隻狐狸。書中文字就像是用燒焦的樹枝寫出來的一樣，把森林大火的焦味帶入文字中。狐狸的誘惑則表現在那陰沉令人不寒而慄的眼神。當他載著烏鴉急奔時，烏鴉頭下腳上的姿勢，讓人不安。整體圖像視覺的氛圍營造與主題相呼應。而故事最後開放的結局更是留給讀者無限的解讀空間。一個澳洲老師告訴我，故事的結局可以反映個人對人際關係的態度；你的想法比較正面還是負面，可以從你想要的結局看出來，大家不妨試試看吧。

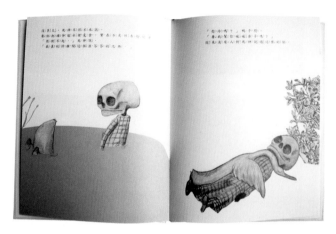

《當鴨子遇見死神》

文、圖：沃夫・艾卜赫｜譯：侯淑玲
出版：大穎文化

這本德國繪本討論一個童書裏面比較不會碰觸的問題，死亡。以鴨子與死神的互動帶領讀者去面對生命與死亡並存的事實，就像死神手上那朵鬱金香；鬱金香在早春綻放，象徵新生、新的開始，死神帶著鬱金香，象徵死亡並不是結束，而是另一個新的開始。鴨子剛開始對死神跟著她這件事感到不安，但不久就把死神當成同伴，死神在池子裡不敵寒冷時，鴨子還幫他溫暖身子。鴨子對天堂與地獄的問題，死神並沒有正面回答，只是安靜地在她旁邊像哲學家一樣讓鴨子自己去整理自己的思緒。

簡單的色調與構圖，符合這個主題所需要的靜默與專注，讓靜謐的畫面只呈現兩人的互動。

最後死神把鴨子放進水裡，並在她胸口放上那朵鬱金香，目送鴨子離去後，死神有些感觸，但他也只是說：「這就是生命。」然後下一頁，讀者就跟著他到下一個生命、下一段故事。讀完之後，讀者也許無法馬上就有那種豁然的態度，但是死神一貫給人冰冷的感覺，也逐漸解凍。也許死神說：「從你一出生，我就在你身邊，以防萬一」，這句話讓人不安，但他也表明沒辦法隨便就把你帶走，因為，「Life takes care of that.」我的翻譯是，「生命自有安排。」

從面對死亡的的角度去探討生命，正是這本繪本讓人無法忽視的地方。

Tadpole's Promise（《蝌蚪的諾言》）

文：Jeanne Willis珍‧威莉絲
圖：Tony Ross湯尼‧羅斯
出版：Andersen Press

　這又是一本藉由浪漫題材表現觀點衝突的作品。因為故事結局完全顛覆我們對愛情的期待，因此往往會發現讀者錯愕失望的反應。墜入愛河的毛毛蟲和蝌蚪不知道自己必須面臨成長的蛻變，因此答應對方彼此永遠不改變，但是蝌蚪無可避免的改變導致雙方關係緊張，而毛毛蟲自己的變身也導致悲劇的結局。可能怕一般讀者無法接受，出版社將本書歸在「科普」類，希望引導讀者聚焦在生物的蛻變，而非兩人愛情本身。但是其實本書卡通式的誇張畫風，已經反應兩個主角的愚蠢以及他們之間可笑的愛情關係。如果讀者能仔細聽圖像說故事，那麼就可以知道，作者絕不是在說一個愛情故事。

譬如兩人在戀愛或對話時，大魚小魚在下面嬉鬧，還有青蛙那吃了摯愛卻無辜的表情，故事人物並不知道自己的命運，但是讀者知道，而且讀者可以預期、預測故事的發展與結局，因此成就讀者比較優越的地位去看故事的發展，這樣的目的不外乎去嘲諷故事主角的愚昧無知。只是讀者們願不願意放棄既有的對浪漫愛情的期待，而純粹去享受一個有趣的故事。當然讀者還是可以從這個故事裏面體會到愛情真實的一面：沒有什麼事情是永恆不變的，要求彼此不改變不僅很愚蠢，對愛情關係可能傷害更多。就像我研究裏面的一個八歲小朋友說的：「他們本來就不應該開始的。」我們大人有沒有這樣的智慧呢？

愛上繪本的魅力

　　繪本的魅力在於圖像與文字一起說故事的雙軌閱讀，因為閱讀本來就不應拘限於文字，從一出生我們就不斷地在閱讀，閱讀臉孔、閱讀肢體語言、閱讀景物，然後慢慢學會閱讀符號、文字。圖像溝通在我們的環境裡無所不在，繪本故事讓我們保留甚至加強我們圖像溝通的能力。我每次讀到一本新繪本，都會先把圖看一遍，猜猜故事要說什麼，然後再搭配文字閱讀一次。常常我都會覺得自己被圖像所激發的想像力，比原有的故事更精彩。我愛繪本，它讓我保有一個永遠不會逝去的童年，在那裏，再大的人生道理，都只有三十二頁，不多說，不多畫，只要求我們以一顆「童心」慢慢品嚐。

黃哲斌

people
13

黃哲斌

文字工作者、《天下雜誌》特約記者。曾任《影響電影雜誌》總編輯、
《中國時報》記者及編輯、《中時電子報》副總編輯。四十一歲後才結婚、當上父親，
是兩個兒子的全職「奶爸」。中年志向是家庭主婦。

發現繪本世界的豐富

有一些繪本，即使是大人閱讀，
也能得到智識上的深刻啟發，情感上的強烈共鳴。

黃大寶出生後，朋友送來幾本漂亮的童書，包括作家幸佳慧從英國帶回小熊維尼的立體書，才一歲大的黃大寶，雖然還不會閱讀，也聽不太懂，但他看到展開像是一片森林的圖畫，仍然露出驚異的神情。

後來，黃大寶上幼稚園小班，與同齡孩子相較，語言發展明顯遲緩，不但個性非常害羞，而且幾乎不太會講話，只會重複仿說大人的結尾字詞，例如，問他「有沒有吃飽」，他只會說「吃飽」。

在兒童心理發展機構的評估鑑定之後，我一面帶他去上早療課，一面更積極說故事，像是「一千零一夜」，每天睡前必定會說，直到他愛上那些虛幻情節，愛上那些美麗的圖畫與情節，直到弟弟也加入聽故事的行列。

剛開始，我會一面講故事，一面打哈欠，因為童話故事相對簡單，經常是耳熟能詳的〈三隻小豬〉、〈七隻小羊〉，或是〈龜

兔賽跑〉及〈白雪公主〉，加上當時工作勞累，朗讀這些經典故事，難免覺得單調、疲乏。

於是，我更積極在書店尋找新鮮的繪本，找著找著，讀著讀著，慢慢發現繪本世界的美妙豐富，例如，道聲出版社的《你很特別》，透過一個木偶與木匠的對話，演繹人在世間各有特色，各有存在意義，不必在乎世俗的眼光評價，雖是充滿宗教隱喻的故事，然而抽離了上帝造人的比喻，仍有啟發性。

或者，我讀過數十遍的《非常暴躁的熊》，自以為聰明漂亮的獅子、麋鹿、斑馬，想把冬眠中的熊，打扮成自己的樣子，一次又一次觸怒暴躁的灰熊，反而是看似平凡的綿羊，解決了眾人的危機，讀到後來，當時才兩歲半的黃二寶，也會模仿哥哥說故事，「斑馬有超炫的條紋，綿羊普普通通」。

再者，兩個小男孩都愛的日本作家宮西達也，無論是恐龍系列，或是大野狼系列、小汽車系列，無不飽滿著純真童心，每次朗讀宮西達也，或五味太郎的繪本，就是父子三人最瘋狂的時刻，我們必定用上誇張的語調，搭配神經兮兮的演技，張牙舞爪，低沉嘶吼，童稚假音，翻滾，跳躍，歡呼，尖叫，撒嬌，扮傻，裝哭，就像演出一齣小型家庭舞台劇。

有些繪本畫工瑰麗，有些繪本充滿奇幻想像，有些繪本讓人開朗微笑，有些繪本讓人揪心感動，也有一些繪本，即使是大人閱讀，也能得到智識上的深刻發，情感上的強烈共鳴。

以核電能源議題為例，就有許多中文繪本或圖片故事，如《我沒有哭》、《綠色能源島》、《看不見的炸彈》、《好東西》、《總有一天，想回去我的故鄉》、《當風吹來的時候》、《福島來的孩子》等作品，它們在理性的科學思辨之外，提供另一種人文關懷的視野。

黃哲斌的

繪本推薦

《鬆餅先生!》

文、圖：大衛‧威斯納｜**出版：格林文化**

一頭黑身白腹的家貓，一個宇宙冒險的想像。貓迷一定愛死這本書，鬆餅先生是一隻家貓，無論主人如何逗弄，牠總是驕傲淡定，波瀾不驚。

事實上，鬆餅先生的眼裡，有著一個人類肉眼無法看見的奧秘世界，小型飛碟、綠色皮膚的外星人，以及隱藏在牆壁裡的蟻族與壁畫。啊，如何形容這般獨特原創的故事，彷彿融合了夏目漱石的小說《我是貓》，以及奇幻想像的電影《MIB星際戰警》，然後用最少的對白、最精簡的畫面，講一個嘲弄人類的神妙極短篇。

至於，作者優美成熟的畫風，以及具備電影感的分鏡，那又是另一層享受了。

《這不是我的帽子》

文、圖：雍・卡拉森｜譯：劉清彥
出版：天下雜誌

非常迷人的繪本，是我的前三名。一隻小魚，偷走一隻大魚的帽子，打算躲進水草叢裡，牠以為不會被發現，結果，當然不如天算。

這本書完美展示幽默與創意，如何不需要累贅語言，不需要過多說教，不需要複雜的知識背景，也能享受一個好故事。作者的畫工精巧，充滿童稚趣味與寓意，而且擅於留白，畫面不把情節寫滿，而是留下想像空間。

事實上，這本書讓我想起卓別林的黑白默片，像是卡通，但意味悠長；對白極簡，但眼神表情都是戲劇。

《不會寫字的獅子》

文：馬丁・巴茲塞特｜圖：馬克・布塔方
出版：米奇巴克

一頭不會寫字的獅子，愛上一頭喜愛讀書的母獅子，於是打算寫情書給她，會發生什麼事？

這是一個可愛的故事，角色設定可愛，情節可愛，畫風可愛，更重要的是，當這些元素齊備，這其實是一個浪漫的愛情故事，非迪士尼版本的《小姐與流氓》。

當然，大人可以從中萃取出教育意義：小朋友要讀書、學寫字，才會交到女朋友。但是，那太不浪漫了，我寧可讀成一本搞笑版的《大鼻子西哈諾》，亙久恆常的愛情與費洛蒙，可以跨越知識與身分落差，而且有快樂結局。

《希望小提琴》

文：幸佳慧│圖：蔡達源│出版：小天下

一個白色恐怖及政治受難者的真實故事。背景在綠島監獄，一位受刑人思念家鄉，利用各種廢棄材料，手製一把克難小提琴的故事。

因為真實，所以令人動容。我們曾經走過的荒謬年代，被威權政治擠壓踐踏的年代，然而，有些珍貴人性不會變形，而在最幽暗的角落，以難以想像的方式，發出溫暖光輝。

生活在當下台灣，我們都幾乎忘了，世界不會自動美好，人類不會自動和平，政治不會自動善良，社會不會當然自由，我們現在日日享有的美好、善良、和平、自由，是那些不滿者、反抗者、做夢者，甚至受難者的生命，一點一滴交換而來。當我們幾乎遺忘，一本寫給孩子的繪本，卻如此鮮明立體提醒這件事。

《不可以!》

文、圖：大衛・麥克菲爾｜譯：林真美
出版：遠流

這是一本難以形容的書，一本幾乎沒有字的書，事實上，全書只有一句對白「不可以！」然而，這三個字力道強大，讓人深受震撼。

一個小孩上街寄信，看到許多強凌弱、眾暴寡的景象，當不公義的拳頭也揮到他眼前，這個小孩會如何反應？

最後，當他勇敢寄出手中的信，世界開始發生奇妙變化，槍口變出鮮花、坦克轉為耕耘機，恨意化作和平。純真勇敢的文字，最終勝過暴虐的權力。

這是一本極具反抗精神的書，也是告訴孩子如何說不的書，從校園霸凌、街頭抗爭到反戰運動，這也是一本多重意涵的書，或許《不可以！》一書，會是小孩認識成人世界的起點；而且當他三歲、五歲、十歲、十五歲、五十歲，每一次重讀，都將湧生新的體會，新的勇氣。

《恐龍特攻隊》

文：諾艾‧卡蘭｜圖：克拉斯‧魏普朗克
譯：徐麗松｜出版：水滴文化

喋喋不休又洋溢奇趣，若說，《這不是我的帽子》讓人想起卓別林；《恐龍特攻隊》就讓人記起獨白喜劇的伍迪艾倫。

我家小孩都喜歡恐龍書，事實上，大多孩子都喜歡恐龍書。但當你以為，坊間各式各樣的恐龍繪本，已經汗牛充棟，玩完所有能玩的把戲，這本書看見另一個驚奇的世界。

作者想像出，或者你可以說，瞎掰出十幾種你沒聽過的恐龍，馬桶龍、挖土龍、牙醫龍、甜筒龍，還有壓軸保持神秘的龍中之龍；然後以接近《怪獸大學》的卡通畫風，煞有介事編造一本迷你偽百科，充滿無厘頭童趣，無論大人小孩，都會被它逗得咯咯笑。

《大黑狗》

文、圖：李維‧平弗德｜譯：陳佩筠
出版：聯經

這是一個關於幻想、恐懼及勇氣的故事。我們都曾經害怕，害怕各式各樣事物，存在的，不存在的，介於存在與不存在之間的。只不過，當我們漸漸長大，漸漸忘記恐懼的原型。

《大黑狗》讓我們想起，「害怕」最原初的模樣，可能長得像老虎，像大象，像暴龍，或像一隻「大傑菲」，書中的幻獸。

《大黑狗》藉由爸爸媽媽、哥哥姊姊的驚嚇，讓孩子們看見自己尺寸不合的恐懼，無論他害怕的是蟑螂、蜘蛛、螞蟻，草地上的鴿子，或是一隻大黑狗。當孩子大些，最終，他會忘記恐懼的原型，忘記為什麼自己曾經怕狗；但當他現在讀這個故事，將更明白一件事：無論他自己，或是爸爸媽媽，許多恐懼，其實只存在幻想裡。

people
14

郭亮吟

記錄片導演。常以紀錄片作品獲得「金穗獎」等台日兩地大獎肯定。
個人曾獲頒贈「K氏台灣青年人文與科學獎」之「青年人文獎」，並當選第52屆文化藝術類十大
傑出青年。目前定居日本。除了從事影像創作，也常撰文分享與孩子共讀繪本的經驗。

繪本共讀中有質的親子時光

繪本為我和孩子開了一道認識台灣、日本
和其他國家的文化、社會、習俗和歷史的路徑。

印象中，小時候沒有聽過「繪本」這樣的字彙。

童年成長於台北城郊外的小鎮，沒有圖書館，唯一一間書店是兼賣禮品、參考書的雜貨店。只有在小學的圖書室，才有機會讀到有插圖的故事書，不過那和現代所謂的「繪本」似乎不太一樣。

家中的書是隔壁鄰居不要而送給我們的漫畫和雜誌。我父母沒有受過高等教育，除了字典，沒有給孩子買過書，也不曾唸書給孩子聽。

我曾經問過媽媽這件事，她說曾經從衛生所拿過幾本故事書（我猜是那年代衛生所發的衛教宣傳），她用「國語」（華語）」唸一唸覺得實在很無聊，又覺得故事「足假仙」，她乾脆都自己拿手帕綁成人形，常常自己編故事，用台語講給我們聽。

後來想想，我的父母都不是「國語人」，平日生活中都是以台語交談，而媽媽所說「無聊」、「假仙」，其實也和那時代的兒童故事書的語感、內容都和真實生活脫節有關。

童年的物質生活雖受限，但倒是養成了有書就看，有字就讀，有圖就跟著畫的習慣。雖然沒有睡前的床邊繪本閱讀時間，媽媽

的手帕劇場也實在非常精彩！

書本讀得多又雜，沒有大人挑選，我不選名家推薦、經典名著，只挑自己想看的，在這樣大量閱讀的過程中，我清楚瞭解自己的喜好和興趣，這對我後來從事創作是相當寶貴的經驗。

多年後，成為兩位孩子的母親，才算是我真正和繪本相遇的開始，陪孩子找她們喜歡的繪本，同時認識了許多大人的我也喜歡的繪本。

在異鄉一邊工作、一邊育兒，再忙也會找時間坐下來和孩子一起大聲地、開心地唸繪本。

遠離台灣，沒有來自故鄉的土地、文化養分，繪本除了讓我和孩子分享了珍貴的共讀時間，這也是我這個做母親的唯一能夠讓她們母語種子發芽茁壯的機會。

大女兒娜娜，出生、成長於日本，能說華語、日語，她現在已經會自己閱讀用日文五十音寫成的繪本。娜娜雖然還不會自己讀華文繪本，因為中文的語言結構上比較複雜（得先學會ㄅㄆㄇ拼音或是認得漢字），但她小小腦袋裡記得媽媽唸過好幾百遍的故事，她常假裝自己看得懂，開心地用華語大聲朗讀給我和她妹妹聽，書裡的故事也往往和她對台灣的人、事物、土地等的記憶緊緊相連。

兩個孩子在4個月大左右時，我注意到她們黑溜溜的眼睛已經會閱讀繪本，看到有興趣的地方就會盯著看。等到她們會說話時，她們對繪本的每個細節觀察，並記得我講故事時的每一句話和表情，都一再讓我感到驚奇。

喜歡文字的我，在孩子的閱讀中，深刻體會到圖文並茂的繪本對孩子的重要。孩子們一邊閱讀、理解繪本圖片裡訊息，一邊聽著我朗讀文字，我的聲音伴隨著故事情節會有抑揚頓挫，同時對應著她們在真實生活裡的體驗，都是非常有趣的事情。

此外，從事影像創作的我，透過女兒娜娜的眼睛，我也才能體

郭亮吟的書架

會到孩子觀點的閱讀經驗。有些書雖然已改編成有影片DVD可以看，但她在閱讀紙本時，她可以自由控制翻閱書本的時間速度，反覆仔細觀看，帶給她很大的滿足。現在的她甚至會從不同繪本的圖畫風格判斷是否為同一位插畫家的作品，也注意看繪本的裝幀、封面設計等等，這都是影片DVD等不能取代繪本的地方。

在異鄉育兒，和孩子一起閱讀繪本，還有語言學習和社會觀察的好處，和孩子參加繪本讀書會，每次導讀的老師不同，接觸的繪本和個人詮釋也不同，我會在心裡重複著導讀人的說話口音和聲調，並記下聽不懂的字或事，請教日本友人。

繪本就像為我和孩子開了一道認識台灣、日本和其他國家的文化、社會、習俗和歷史的路徑。

經常和孩子閱讀繪本的我，和自己上一輩父母很不一樣，但若思考我們的共同點，親子之間最值得珍惜、無法取代的，其實不是閱讀繪本而已，而是父母和孩子共處的片刻時光。

郭亮吟的
繪本推薦

《とん ことり》《誰在敲門啊》

文：筒井賴子｜圖：林明子
譯：莫凡｜出版：青林

作者筒井賴子和繪者林明子兩人合作的繪本，故事主角經常都是一、兩位小女孩。我喜歡林明子的細膩畫風，而女兒娜娜在每日生活中，也都找得到和書中主角都相同或類似的體驗和觀察，因此我們最常選擇林明子擔任插繪的繪本一起共讀。

我們曾經一年之中搬過兩次家，最後落腳在京都郊區的小山谷裡，窗外即可望見碧綠山景和金黃稻田。對孩子而言，新的家，新的街道，新的學校，新的生活中，一切充滿驚奇，同時也令人不安。

然而，剛搬家，不斷開箱整理忙成一團的父母，實在無暇顧陪伴孩子，而尚未認識新朋友的娜娜只能在紙箱堆中畫畫、看書打發時間。此時，孩子聽到門口有敲門的聲音，「是誰呢？」走到玄關門口，孩子發現信箱放了一小串花束和歪歪斜斜的筆跡寫的一封信。

這是繪本《とん ことり》裡面的故事情節，但也真實發生在娜娜的生活當中。

鄰居的女孩，摘了一大把蒲公英花束，送給了娜娜。

兩個小女孩，開始用簡單的文字交換書信，並總是期待下課時，兩人一起玩的時光。

剛搬家生活尚未安頓下來時，《とん ことり》，這樣簡單普通的故事，卻又那樣真切地安慰了我和孩子當時不安的心情。

《誰在敲門啊》，青林國際出版，p.3, 9

《おしくら・まんじゅう》（饅頭推推推）

文圖：かがくい　ひろし 加岳井廣

出版：ブロンズ新社

《おしくら・まんじゅう》的作者加岳井廣是一位繪本界的傳奇人物，五十歲才出道，卻在3、4年間密集創作了許多在日本家喻戶曉的作品，比較為台灣朋友所知的也許是3冊一套的【だるまさんシリーズ「が・の・と」】（不倒翁）。

孩子和我喜歡加岳井廣的每一部作品，他的繪本充滿奇想、幽默，對聲音和節奏的掌握，讀起來的感覺非常好。只是，當我想找更多他的作品來看時，才發現他2009年已壯年過世，只留下為數不多的作品，令人惋惜。

加岳井廣的作品常以日本常見的食材為主角，故事也和日本生活緊密相連，因此對在日本生活的孩子來說，非常親切有趣，不過也許因為這樣，在台灣生活的孩子讀來恐怕會比較難以瞭解，很可惜在台灣沒有翻譯、介紹過他的作品。

《おしくら・まんじゅう》（饅頭推推推），是我和孩子在日本參加外國人親子日語學習活動時，日語老師在課堂上介紹給我們的一本書。

「おしくら・まんじゅう（饅頭推推推）」其實來自一首民謠，日本孩子在冬天時，會背對背地圍成一個圓，大家用力推擠站在中間當饅頭的那個人，一邊反覆唱：「饅頭推推推，被推了也不要哭喔！」大家推來推去，拉近了距離，也有互相取暖之意。

《おしくら・まんじゅう》這本書將主角從人換成了各種日常生活中會出現的日本食材，從饅頭、蒟蒻、納豆……等，在推推擠擠的過程中，孩子和我不但認識了每種日本食材的特色（蒟蒻一推就會彈開，而納豆則是黏踢踢推不開），也學會各種不同的日文狀聲詞，並同時還可以瞭解了日本傳統習俗、文化，也難怪日語老師當時會為我們這些在日本生活的外國人家庭選擇了這一本書。

《へび のみこんだ なに のみこんだ?》
（蛇吞了什麼啊?）

文圖：tupera tupera
出版：えほんの杜

由兩位繪本作者共同以「tupera tupera」為名出版的系列繪本，用色大膽鮮艷，作品裝幀設計上充滿巧思，內容處處帶給孩子許多驚喜，是這幾年日本頗具知名度的年輕繪本創作者。

這本狹長扁扁的小書，黑白封面上，是一隻長相不怎麼討喜的蛇，但有趣的標題《へび のみこんだ なに のみこんだ?》（意為：蛇，吞了什麼啊?）娜娜在圖書館的通道上遠遠地看到它時，馬上就朝它跑過去，一邊看，一邊哈哈大笑。

這本書的主角黑蛇，吞下了許多奇奇怪怪的東西，理由都相當令人匪夷所思。圖文的安排，先只有出現吞下東西的黑蛇的剪影，翻到下一頁，才能看到它到底吞了什麼東西。

這故事倒是讓我想起《小王子》這本書，男主角畫了一隻吃了大象的蟒蛇，大人們看圖覺得他畫的是一頂帽子，只有小王子一眼就看出他畫的是一隻肚子裡有大象的蛇。

這本書讓我也想拿它和大人與小朋友做測試，奇妙的是，不論這隻蛇吞的是什麼稀奇古怪的東西，如一座山或是一隻蛇，小朋友竟然都神奇地猜得出來！

這本書也是小娜娜在電腦視訊時，第一次和台灣的小表姐在「説故事時間」時自己挑選的繪本。這本書是日文寫成的，我第一次見識到娜娜一邊口頭翻譯成華語講給小表姐聽，雖然當時她的華語説得還不夠流利，但因為這本書的圖像和故事都非常吸引小朋友，兩個小女生就在電腦的兩端一起又笑又跳。這本書真的是跨越國境吸引了大人、小朋友啊！

《媽媽買綠豆》

文：曾陽晴｜圖：萬華國
出版：信誼

《媽媽買綠豆》是娜娜最喜歡且反覆閱讀的台灣繪本之一。

女兒娜娜是一個在日本長大的台灣孩子，因此我特別留意台灣繪本，除了可以讓她多接觸華語，也希望讓她能透過繪本認識台灣。

「只有回台灣時，才能吃到阿媽的綠豆湯！」

每次讀《媽媽買綠豆》，娜娜總是會說起這些關於芝麻綠豆小事，因為日本不產綠豆，只有在進口舶來品店裡，偶而才可見到綠豆的蹤影。每次回台灣，阿媽總是煮一鍋香香甜甜的綠豆湯讓我們解饞，因此綠豆是她在台灣之行中深刻印象之一。

和媽媽上街買綠豆，也是我童年記憶之一，小時候最喜歡和媽媽一起走路去老街上的種子行買綠豆，我總細細觀察老闆的穿著打扮、店內商品陳設，不論是裝豆子的大型木盒，或是古早傳統的磅秤，還有大人們之間的對話，都是非常有趣的經驗。

《媽媽買綠豆》已經出版25年了，是第一屆信誼幼兒文學獎的佳作，當時信誼基金會執行長張杏如女士曾對評審安野光雅獨鍾這本書而感到不解：「為何一個國際知名的圖畫作家獨獨青睞這一本描繪我們日常生活的圖畫書？」

經典的繪本，不但耐得住時間的考驗，並可以夠跨越世代產生共鳴，《媽媽買綠豆》和我與女兒的生活經驗互相呼應，讓我們在異鄉，從小小的綠豆出發，和台灣有著緊密的連結。

《おふろやさん》（大眾澡堂）

文圖：西村繁男
出版：福音館

西村繁男是我最喜歡的日本繪者之一，他作品中常見以俯瞰透視或切面圖，描繪紀錄日本常民生活的細節瑣事。

這本《おふろやさん（お風呂屋さん）》，意即「大眾澡堂」，在日本有時也稱為「錢湯」。整本書沒有文字，只有一頁頁的圖繪。

多年前剛來日本定居時，住家附近有間大眾澡堂，門口總可見到人進人出，非常熱鬧，朋友解釋上大澡堂洗澡很舒服，我那時不解：「家裡有浴室，為何還要出門跟大家一起洗澡呢？」。

後來入境隨俗，去過一次錢湯後，就喜歡上大眾澡堂的感覺了。許多日本家庭就像《おふろやさん（お風呂屋さん）》書中的一家人到大眾澡堂，洗刷身體、泡溫泉、喝茶用餐等，度過悠閒的一天。

女兒娜娜非常喜歡到大眾澡堂，和《おふろやさん》書中小女孩一樣，她都會帶著一只鄉土玩具的浮水金魚，一邊洗澡，一邊玩耍。尤其在大眾澡堂中，形形色色不同年紀的人，大家光著身子坦誠相見，對孩子來說，總是和在家洗澡的感覺大不同。

《おふろやさん》這本書只有圖，沒有文字，娜娜很喜歡仔細地「讀」這本書的每個細節，因為處處都對應著她在大眾澡堂的生活經驗，如洗完澡，量體重，自己穿衣服，喝瓶冰冰的牛乳，然後走出澡堂，在夜裡的路上和爸爸媽媽牽著手緩緩散步回家……等等，雖然這是繪者西村繁男1977年所完成的作品，至今看來，仍十分接近現代的日本生活景象。

《めがねうさぎ》(戴眼鏡的小兔子)

文、圖：せな けいこ 瀨名惠子
出版：白楊社

1932年出生的瀨名惠子，在日本和加古里子（《烏鴉的麵包店》作者）一樣都是受到大人、小朋友喜愛的繪本作家，不知道是不是因為她創作的題材多以日本民間故事為主，畫風樸素，所以在台灣很少看到有人介紹過她的作品，連她在日本非常受到小朋友喜愛的長銷作品《ねないこだれだ》（誰還沒睡啊），在台灣也沒有翻譯出版。

瀨名惠子以撕畫創作，用色雖然樸素，但撕開來的紙張，邊緣歪斜、不平整，對孩子來說很有趣味，我第一眼看見這些畫時，也不禁想到台灣的黃春明老師所創作的繪本，我也很喜歡這種撕畫帶來的「紙感」，和現代繪本常見到用電腦繪圖的風格很不一樣。

娜娜喜歡認出自己熟悉的作家，撕畫風格好辨識，她在圖書館裡總是很容易就找到瀨名惠子的書，把它們帶回家。

瀨名惠子大量創作的繪本當中，有戴眼鏡的小兔子和幽靈兩個系列最受歡迎。《めがねうさぎ》這本書裡，傻愣愣的小兔子和想嚇人卻又嚇不成的幽靈一起登場。

大近視的小兔子，上山去找自己掉了的眼鏡，幽靈想嚇他卻發現小兔子看不清楚自己是誰，於是只好幫忙找眼鏡，忙了半天找到眼鏡時，幽靈心想這下小兔子可要看清楚他的真面目，準會嚇死了吧……

女兒娜娜每次看都會笑得合不攏嘴，看到幽靈為了找眼鏡滿身大汗，娜娜也就忘記了幽靈的恐怖，她甚至替幽靈感到不值而懊惱啊……

《不要一直比啦!》

文、圖:童嘉 | 出版:遠流

對像女兒娜娜這樣一個在異文化長大的台灣孩子來說,中文繪本裡的「語感」相當重要,尤其是對尚未能夠自己閱讀文字的孩子來說,往往需要大人陪伴讀給孩子聽。

每次回台灣時,總是把握機會和孩子一起在書店找她喜歡的繪本,但是書架上,往往都是國外翻譯的名作,尤其是日本繪本居多。翻譯作品有時雖然文意正確,但用字艱澀,而台灣繪本作家的作品,詞句更是艱深難懂,唸書時,常覺得舌頭都快打結了⋯⋯

認識幾位繪本作家朋友,請教他們在創作時是否會「自己從頭到尾唸一次」,她們聽了睜大眼睛搖搖頭說,她們從沒有想過把自己寫過的字「讀」過一遍。這樣回答,也著實讓我自己嚇了一跳。女兒娜娜很喜歡童嘉小姐「小胖貓」一系列的繪本,我也非常喜歡,讀起來的語感很好。她在書店發現這本新書《不要一直比啦!》,眼睛笑成彎彎一道線,緊緊抱著這本書,陪著她搭飛機,飄洋過海,回到日本。

回到日本後,她會拿著小胖貓的紙卡演「內心話」,而《不要一直比啦!》書中描寫小朋友世界,非常貼近她在學校裡的生活,她時常會把書的內容換成班上同學的名字,自己演了起來。

這本書還讓娜娜學會了一個字彙:「善良」。我以前講故事時,說到「心地善良」時,娜娜總是不解,問我「善良是什麼意思」,實在很難解釋這抽象的詞彙啊。

《不要一直比啦!》裡面的小豬雖然很愛比較,大家覺得他有點煩人,但小胖貓還是解決了他遇到的難題。

「小胖貓真的很善良呢!」小娜娜很認真地說,彷彿小胖貓是她很好的朋友呢。

《くまのゴールテンくん》《小熊可可》

文圖：Don Freeman唐・菲力曼
譯：朱昆槐｜出版：上誼文化

「娜娜，阿姨臉上長了顆大痘痘，變得好醜啊。」娜娜的台灣阿姨抱怨著。

「可是……」我豎起耳朵偷聽，好奇小娜娜會怎麼回答呢？

「可是，沒有關係啊，因為我還是很喜歡妳啊！」一說完，娜娜緊緊抱著她最喜歡的台灣阿姨。

這段對話讓我印象深刻，並且總是會想起娜娜很喜歡的《くまのゴールテンくん》（台灣版書名為《小熊可可》）。第一次在新宿車站的書店裡，這本書的封面就被吸引住我和娜娜。紅色的背景襯著一隻穿著綠色吊帶褲的咖啡色的熊，他的吊帶上少了一個紐扣，而他正彎著身想撿起一枚縫在床上的紐扣，但

那顆紐扣很明顯不是他的……。

這本書的故事從一開始就抓住了我和娜娜的心：玩具賣場裡，一個小女孩在架上發現了一隻她想望許久的玩具熊，但媽媽卻發現它少了一顆紐扣……

如果我是那位媽媽，我會給孩子買下一隻破舊少了一顆紐扣的玩具熊嗎？如果娜娜是那位小女孩，她會怎麼做呢？一邊讀，母女兩個人很快就融入故事情節裡。

被嫌棄的玩具熊，等賣場打烊後，開始著急地尋找那枚不見了的鈕扣……

每當我唸到「女孩用自己的存款買下那隻她喜愛的小熊玩偶，替它縫上鈕扣」，翻到下一頁也是最後一頁：女孩將小熊緊緊抱入懷裡時，小娜娜的眼睛總是笑得彎成一條線，給這本書和媽媽一個深深的擁抱。

《香蕉的秘密》，青林國際出版，p.18-19

《香蕉的秘密》

文：許玲慧｜圖：鄭淑芬
出版：青林

回台灣時，一定會帶女兒娜娜去書店找有關台灣的繪本，而這本《香蕉的秘密》讓我們母女兩人驚呼連連。

「媽媽，香蕉在樹上是長這樣呢！」

「媽媽，原來香蕉長出黑點點時最好吃喔！」

出生於台灣，從小吃香蕉長大的我，也從沒有注意過香蕉原來是倒長在樹上的，和我們平時對香蕉的想像不太一樣；而成長於日本的女兒娜娜，在日本超市沒有看過有賣長出斑點的香蕉，當她回台灣看到阿公阿媽買給她的香蕉長出黑斑時，她覺得香蕉看起來「髒髒的，應該壞掉了吧？」

《香蕉的秘密》裡，有一位和娜娜一樣從小住在日本的小表妹，透過她對香蕉的觀察，顯示出每個孩子們的生長和文化背景不同。

在日本沒有香蕉樹，因此娜娜以前都會錯把椰樹當作香蕉樹，《香蕉的秘密》裡，仔細畫出香蕉樹的成長階段，娜娜很喜歡看香蕉樹如何發芽長高，葉子如何一片片從中心冒出，如何開花結果，當她最後看到一串串香蕉往上長時，覺得非常新奇，我也覺得很有趣。

「媽媽，阿媽剛才帶我去看香蕉樹！！！」當我們再回台灣時，我媽媽帶著娜娜散步，在路邊發現了一株香蕉樹，她的眼睛睜得又圓又亮，仔細地打量整棵樹，東摸摸西摸摸。

當書裡的圖像「活生生」地出現在眼前時，對孩子來說是一個很「震撼」的經驗吧。

我由衷希望，孩子將一直記得她曾和媽媽、阿媽一起在巷弄裡散步，晚風徐徐，水果香氣撲鼻的台灣記憶。

Jon Agee

15

Jon Agee
強. 亞吉

以古靈精怪的故事風格聞名的美國繪本作家與插畫家。美國童書巨人莫里斯・桑達克收藏他的原作；威廉・史塔克邀請他作插畫；繪本奇人湯米・溫格爾也多次讚許這位中生代中最具大師特質與前瞻力的創作。作品已在台灣出版的有：《麥先生的帽子魔術》、《克羅素的神奇作品》、《布萊恩不想再當小孩》。

挖掘繪本無窮的藝術價值

繪本說故事的形式是非常特別的，往往只要一翻頁，
故事就會有戲劇化的轉折。

在我的整個成長過程裡，家裡總是會有一個和藝術有關的活動在進行。我媽媽會帶著我玩各種藝術，例如拼貼、用泥土做小塑像，或是用刻過的模板來裝飾浴室，她的熱情讓我難以抗拒這些活動。我們會用麥克筆和色鉛筆上色，至於紙張則不拘任何種類，甚至可能是從垃圾桶搶救回來的，就畫在印有寄件人資訊的背面。

我的畫非常動畫式的，多半是動態的：移動的車子、飛機，或是足球球員。我也開始做簡單的繪本，我會把紙張裝訂起來，然後把故事說出來、請媽媽幫我寫下來。

我的父母讀過 Winnie the Pooh 和 Alice in Wonderland 給我聽，但讓我印象最深刻的書是 Edward Lear 的 Book of Nonsense，特別是裡面的五行打油詩。其中對滑稽的大人們做的許多荒謬的蠢事，有很跳脫束縛的觀點。

大學的時候我讀的是繪畫和雕塑，但最後我卻投入了電影製

作，因為我熱愛說故事。我發現畫分鏡圖和製作繪本手稿這兩件事非常相似。當不必做學校的功課時，我會在筆記本上畫滿諷刺的圖畫和連環漫畫。

我從大學畢業之後，整個電影事業——洛杉磯——似乎離我很遙遠。但我住在紐約市，全世界的出版中心。所以我寄出我充滿了圖畫和卡通的作品集，期盼有人會願意出版它們。那時時機很好。1981年，紐約還有各式各樣的出版商，我常得到和編輯或藝術指導碰面的機會。雖然他們不知道要怎麼幫我，每個人都很鼓勵我。誰能怪他們呢？那時的我沒沒無聞。最後，一個編輯建議我把一些連環漫畫畫成兒童繪本。那真是個好建議。

就某種程度上來說，我意外地成為了一位繪本作者，但這的確是非常適合我的工作。我很快的發現繪本說故事的形式是非常特別的寫作：通常要在32頁內利用圖畫和文字的互動來說故事，往往只要一翻頁，故事就會有戲劇化的轉折。我開始大量閱讀繪本，重新認識許多經典之作，例如：Babar、Madeleine、Ferdinand，還有Hans Fischer、Bruno Munari、Beni Montresor 的作品。我熟知 Tomi Ungerer 和Andre Francois 1960年代的作品；我熟悉 Andre Helle 和 Edy LeGrand 於1900年代初期的創作。Leo Lionni、Ferdinand Leger 和 Edgar Jacobs 深深啟發了我；John Burningham 畫面雜亂、意蘊深遠的圖畫、Bill Steig 對語言最美的運用、Saul Steinberg 創意的眼光和 Jules Feiffer 在節奏掌控上的精準，製造出最幽默的笑點都令我驚豔。可以學習的地方太多，三十年之後，依然如此！

Jon Agee的工作室

Where the Wild Things Are
《野獸國》

文、圖：Maurice Sendak 莫里斯桑達克
譯：漢聲雜誌｜出版：英文漢聲

這本出版超過五十年的作品具有先驅的
地位。它涵蓋了一切元素，引人入勝的
情節宛如一首交響曲般展開，淺顯易懂
的文字，主角Max的人格特質，整本書
的設計更結合了無數吸引人的圖畫。

Sylvester and the Magic Pebble
《驢小弟變石頭》

文、圖：William Steig 威廉・史塔克
譯：張劍鳴｜出版：上誼文化

William Steig 的第三本繪本——
Sylvester and the Magic Pebble，在他62
歲的時候出版。故事中，有隻好奇的驢
子撿到一顆神奇的鵝卵石，能替他實現
任何願望，但在他回家的路上，一切都
和預期的不同。這是個悲傷的故事，而
且很特殊的是，書名裡的角色在大部分
的情節裡都沒有出現。在一連串的頁面
中，變成石頭的 Sylvester 無助地看著
季節一季一季過去⋯⋯。Steig的文字
總是充滿憐憫，溫柔而真實。

The Story of Barbar（巴巴的故事）

文、圖：Jean du Brunhoff讓・布朗霍夫
出版：Random House

我母親第一次讀Barbar the Elephant
大象巴巴的故事給我聽的時候，我
就發現他和大部分的美國繪本有很
大的不同。首先，他用的字體是草
寫；接著，這個故事說的是大象與
食人族和犀牛之間的戰爭，敘述的
時態是現在式，用的是一種近乎陳
述事實的平白語句，而圖畫則是美
得極致。

Moon Man（《月亮先生》）

文、圖：Tomi Ungerer 湯米·溫格爾
出版：Phaidon Press

Tomi非常多才多藝，他是插畫大師，同時也是漫畫家、諷刺作家、書籍封面和海報的設計者，1960到70年代之間，他也創作了一些經典的繪本。這是一本意義深遠的巨作，有著設計完整的角色（Doctor Van Der Dunkel）。情節鋪展得很有技巧性、高潮迭起，而且他同時表現了兩個層面：一是關於寂寞的 Moon Man ，二是關於 Tomi ，他就和 Moon Man 一樣，大部分的時候都像他自己生命中的局外人。

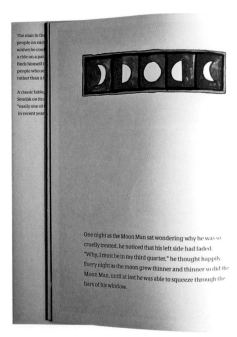

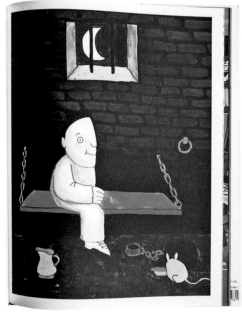

In an old hou
That was cov
Lived twelve
In two straigh

So begins one
children's pict
cheerful humor
Bemelmans' f
Madeline has
generation afte

At the time of it
Times wrote, "
the Opera, of N
sun shining on
Luxembourg a
put an authenti
this book. The
told make it o
repeating."

she loved winter, snow, and ice.

To the tiger in the zoo
Madeline just said, "Pooh-pooh."

Madeline《瑪德琳》

文、圖：Ludwig Bemelmans 路德威・白蒙
譯：林真美｜出版：遠流

Ludwig Bemelmans 的Madeline依然是經典，有著充滿活力、不輕易妥協的主角，貫串整個故事。

This is Not My Hat
《這不是我的帽子》

文、圖：Jon Klassen雍‧卡拉森
譯：劉清彥｜出版：天下雜誌

Jon Klassen 的 This is Not My Hat 是一個關於一隻小魚偷了一隻大魚的帽子的故事。讓這本書如此有魅力的原因——除了那受 Leo Lionni 啟發的美麗插圖——是魚兒輕快、調皮的對白和圖畫中發生的情節所產生的巨大矛盾。

John Patrick Norman Mchennessy, the boy who was always late
《遲到大王》

文、圖：John Burningham約翰‧柏林罕
譯：黨英台｜出版：上誼文化

John Burningham 的 John Patrick Norman Mchennessy, the boy who was always late用一種 Burningham 式的幽默、淺白文字諷刺了頑固的當權者。荒謬的災難一樁接著一樁，最後都用同樣的句式作結，像一首歌的副歌似的。裡面的插畫幾乎是不加修飾的，但充滿活力。

Meanwhile…

文、圖：Jules Feiffer｜出版：HarperCollins

Meanwhile… 是 Jules Feiffer 第一本繪本。在成為一位繪本作家之前，他是一位得過普立茲獎的漫畫家、劇作家和編劇。這本書以漫畫的形式，説出一則關於一位男孩因為不想倒垃圾，而寫下 Meanwhile 這個字之後所發生的神奇故事。他在場景之間來來回回、不停切換，每個場景都比上一個還要更危險。這是一個很棒的概念，節奏的掌握——一直到那令人意想不到的結局——都無可挑剔。

幸佳慧

16

幸佳慧

金鼎獎作家；兒童文學翻譯、創作、評論、研究者。成立「台南市葫蘆巷讀冊協會」，
並取得台南市立圖書館兒童閱覽室的經營權，改造成「台南森林兒童圖書館」，
是全國第一所委外經營的市圖兒童圖書館。目前仍持續推動台灣閱讀環境的革命。

因為繪本，成為完整的自己

繪本，結合文學與視覺兩大藝術，
展現自由、創意、幽默、實驗、批判等多元精神，
讓我從知覺自己的缺乏開始，先是探尋失物，成為被動的享受者，
接著才變成研究者、創作者與推廣者。

1987那年，因為民主前輩們的努力，世界最長紀錄的台灣戒嚴令終於解除，被監禁了38年的「出版言論自由」首次得以步出鐵牢外，仰望天空並大口呼吸。

那時，台灣各種雜誌、報紙等媒體百花齊放。很快的，台北也出現台灣第一家誠品書店。90年初期，我考上成大中文系，首次在誠品書店裡，看到校園裡或南部書局裡不會陳列的兩類書籍：藝術畫冊與兒童繪本。遲來的相遇，立刻照出我生命裡的空缺。

從此，我大學家教賺來的錢，繳完學費後便都花在北上的交通與畫冊及繪本上了。

當時我很明白，國家、老師與父母沒能給我的，我決定靠自己的力量來找回來。那個失物招領的名字叫「創意想像與自由奔放」。

這個走失的東西，很快的就長了靈魂，長了手腳，並決心走自己的路。我從偏重古文經籍的中文系，考上了藝術研究所，在那裡我以繪本為研究對象，完成台

灣第一本以繪本藝術為題的碩士論文。

畢業後，我進入繪本出版社工作，接觸更多國外作品與創作者，摸索作品背後的創作歷程。但我想知道更多，於是換到報社的閱讀版當記者，文學、藝術、童書類都是我負責的項目，於是我關心國外出版童書新聞，也接觸國內童書出版社與讀者。而更廣的視角，映出的是我內心更多的疑問。

為了尋找解答，我決定越洋。

於是02、03年期間我到英美兩國探尋知識殿堂，2004年在倫敦展開我的海外兒童文學學術生涯，我再拿了一個兒童文學碩士，並到新堡繼續完成博士。

這當中，除了擔任研究者，我也挑戰自己是否有創作的可能。我想用自己的方式創作繪本，我自己寫故事，自己做前製編輯作業，版頁畫面的編排，並自己找繪者，兩人磨合到某種默契後才提案給出版社。就這樣，我到目前出版了七本兒童繪本。

繪本，結合文學與視覺兩大藝術，所展現的自由、創意、幽默、實驗、批判等多元精神，讓我從知覺自己的缺乏開始，先是探尋失物，成為被動的享受者，接著才變成研究者、創作者與推廣者。

這就是我和繪本相遇的相簿集子，照片從一個驚喜的大人，變成疑惑的大人，然後才是有信心的大人。我不像其他大人，因為生了孩子才跟著讀繪本，我的孩子就是「過去的我」，我一直陪著「兒童的我」在這塊領域裡探索。事實上，很多時候，是她牽著我往前走，是她一直為我展現兒童與生俱來的大能力：自由、清明、創意、膽量，正直和勇氣。是她不斷提醒我學會尊敬並讚賞兒童。

幸佳慧的
繪本推薦

《野獸國》

文、圖：莫里士桑塔克｜譯：漢聲雜誌
出版：英文漢聲

任何人大，若心裡還住著小時候的自己，一定會愛上這本美國經典繪本，更別說是當下的孩子了。桑達克不但深刻描繪兒童在成長過程中，面臨規範與體制的內在衝突，也充分為孩子的內在需求發聲，主角在現實裡被限縮玩樂的權利，因而被大人禁閉時，他仍靠著想像力到了遙遠的地方去找樂子。

在遙遠的那方，他模仿大人對野獸施以命令，然而他並非壓抑或囚禁野獸，反而要野獸們盡情的撒野玩樂，而且更重要的是，他也加入其中。孩子喜愛遊戲的特質需要被滿足，然而他也有自制力回到秩序裡，因此他拒絕野獸們的強留，回到現實去擁抱父母的愛。這本書發出了微妙的訊息，父母應該偶爾扮演孩子的野獸玩伴，陪著他們一起撒野！

Jules

作者：Grégie De Maeyer, Koen Vanmechelen
出版：Divers

這本法國繪本，是少數震撼我並挑戰我對於繪本定義界線的作品，事實上它的效力，真的遠遠超過兒童範疇。它處理一個弱者因為被同儕霸凌欺負，而一再否定自己的心理歷程，故事以積木組成的人偶，說著「自我否定」、「自我傷害」、「自我放棄」的情境，任何體驗生命多的人，都能感受這種在自我認同裡掙扎、破壞與重建的遼闊寓意。

創作者做出了其他人不願意、沒有勇氣或不敢碰觸的議題繪本，將文字與畫面都處理得非常深刻與犀利，使讀者充分感受受害者的心境，體會他們在現實裡可能遭遇的困境。然而，創作者挖得那麼深，卻也在末了賦予文學藝術的使命，除了探究真實也「給與希望」。這真是一本任何人都適合讀的繪本，我很希望台灣有這本中譯本，但我心裡也有數，如果我們公民社會不打好基礎，我們對文藝的寬容度不提昇，那麼我的有生之年恐怕難以如願。

有ぇ時ぇ候ぇ，
莫ㄨ里ㄦ斯ㄥ會ㄨ消ㄥ失ㄕ在ㄍ書ㄕ裡ㄌ，
幾ㄐ字ㄗ好ㄏ幾ㄐ天ㄓ不ㄅ見ㄐ人ㄖ影ㄥ。

的ㄉ房ㄈ間ㄐ。

沒ㄇ的ㄉ說ㄕ話ㄏ聲ㄕ。

《神奇飛天書》

文：威廉·喬伊斯｜圖：喬·布盧姆
譯：劉清彥｜出版：小天下

這是一本不探討大問題卻也不淪為細瑣甜膩，還能讓人開心又安心的繪本。書的前身是改編自一部得獎的短篇動畫。它用各種感官、動能與情境的比喻，說著書／閱讀和人的各種關係：人們即使遇到意外災難失去所有，人生書頁頓時空白無物，但只要有一絲人與人之間的交流情誼，有那麼一本書，我們就能經由這些裝載著超越時空的知識與訊息的書，再次安身立命、傳承良善並且幫助他人。

因為創作者豐富的比喻與表現手法，將閱讀這件事表達的相當遼闊，不僅讓個人變得勇敢、開心，也嚮往自由與創造，並且有了傳遞溫暖，共建社會的大能量。瞧，我這文字寫來就是這麼呆板，但讀他的故事，卻說了更多且內化於心。

The Rabbits（《兔子》）

文：John Marsden 約翰·馬斯坦
圖：Shaun Tan 陳志勇
出版：Lothian Children's Books

碩一時，我到東部卑南部落，首次因自己所屬族群與所受教育而深感慚愧。站在謙遜樂天的原民面前，那些課本上理所當然的「中國一定強」、「千年中華文化」、「南蠻邦夷」、「君臣父子」、「齊家治國平天下」等思想，立刻讓我看見自己心裡的傲慢、霸道、無知又狹隘。從此，我便展開自我認同「非常破壞與非常建設」的大工程。而這本《兔子》，正是站在被殖民的弱者角度，去深刻反省過去強勢的英國白人，在文化與地理上對澳洲原民所做的種種侵犯與壓迫——和我那段原民之旅的體會有異曲同工的呼應。

過去，人類過度膨脹「文明」限度，使它成為消弭他人主體性的便宜藉口；而當時，保守的教科書也教我把「漢文化」當成至聖的唯一徽章別在胸前。還好，我有腳可以自己去部落；還好，我有讀到好繪本的權利。而童書創作者，展現這般反省氣度與格局，更讓我欽佩嚮往。

《動物園》

文、圖：Anthony Browne安東尼‧布朗
譯：柯倩華｜出版：維京

安東尼這個作品，或許是他不夠討喜或吸引人的作品之一，但卻是我認為他最有深度遠見的一本作品。他不僅用第一人稱的記事體描繪出「逛動物園」的事件本身，從看似幽默風趣的家人對話中，同時也諷刺了一般人對於他者與他物的無感。而他運用兩種繪畫風格分別描繪了自由人類與受囚動物的對比。

他用一些視覺語言符號，進一步鞭笞人類其實是以威權自私的行徑換取了他們恣意的自由，並且辯證了如果人類的行為舉止比動物還像動物，那麼更應該被關到籠子去。

安東尼透過這個作品。表達他對人類將動物「娛樂化與物化」的行為感到憤怒與慚愧，因此他透過縝密的文圖結構，強而有力的説出「讓原本自由的人類到監牢裡感同身受，與讓離開家園失去自由的動物重獲新生」的內在呼籲。

《親愛的》

文：幸佳慧｜圖：楊宛靜｜出版：小天下

這是我好幾年前創作的繪本，還記得那個午後，我感覺這本書的靈感水位已達警戒線，我趕緊打開閘門洩洪，經過兩個多小時，我便把所有故事文字、圖畫設計、編排版頁都一次完成。打上句號後，我轉頭一看，窗外天色已暗，再回頭，發現鍵盤與桌上都是淚水，這時我才意識到剛剛用盡理性書寫的我，其實同時動之以情。

因此，後來遇見或讀到無數讀者的回饋心情，我都很能感同身受，我知道他們那份掉進去且拔不出來的不捨感性。然而，我仍要常常提醒讀者，這本書當時預先設計的幾個重點，讓小讀者成為主動建構故事情節的讀者、凸顯孩子的主體能力、相信孩子也能成為重建失序的中心力量、解構父權的價值觀（男人不能倒下、不能悲傷等社會規範）。很多讀者聽了這些才恍然大悟，一個感性的表層之下，藏有那麼多理性的設計或說能量，同時在療癒或培力不同對象的讀者。

顏銘新

people

17

顏銘新

曾在外商銀行、工業銀行和半導體公司工作。單身時就成為圖畫書的業餘愛好者，為了看免費圖畫書而擔任誠品兒童館門市人員，為了分享圖畫書而參加台北市圖說故事義工，為了知道國外圖畫書動態而開了小茉莉親子共讀臉書專頁。目前在投資公司工作賺錢養家和買圖畫書。

繪本閱讀中的教學相長

繪本本身再美，也美不過孩子和它在成長過程裡
互相留給彼此的記憶和烙印。這就是日本繪本推廣前輩
柳田邦男所說的「繪本三讀」中育兒階段的「伴讀」，
帶給我又一次的「教學相長」。

1995年夏天閒晃在舊金山漁人碼頭，遊客如織，觸目所及不是儷影成雙，便是闔家同遊，只有我孑然一人，如此美景，反倒有點兒傷感。走進一家商店裡隨意抽本書一翻，哇，一隻大河馬突然從河中跳出，高舉雙手，張開大嘴，頓時覺得心情一亮，讀完故事，步出店外，驚覺陽光正好，海風輕柔。Little Polar Bear（小北極熊）是我的第一本繪本，自此開始親近繪本近20年。

單身時，驛馬星旺，常有國外出差的機會，公餘時候，靠逛書店來打發時間，慢慢的買的繪本也多了起來。有天在台北市立圖書館天母分館，看到了徵選義務說故事林老師的海報，心想這麼些好看的繪本，獨樂樂不如眾樂樂。當時接受培訓，講師群包括鄭明進、曹俊彥、楊茂秀、林真美、宋珮、劉鳳芯……等等老師，一時間接受了這麼多頂尖高手幾個甲子的功力，真的是要感謝前人庇蔭，上輩子燒了好香。從此幾年間，「教學相長」，為了買繪本而去說故事；又為了說故事而買了更多的繪本。

等到結了婚，小茉莉出生之後，看她流著口水啃著《好餓

Little Polar Bear（小北極熊）
文、圖：Hans De Beer
出版： NorthSouth

的毛毛蟲》、《月亮，晚安》、
《抱抱》、《猜猜我有多愛你》
等等，我對繪本又有了不同的看
法：凡書，不就是要被翻過、看
過，被忘了拭淨的手指留下些污
痕過，它才會有了生命力嗎？繪
本本身再美，也美不過孩子和它
在成長過程裡互相留給彼此的記
憶和烙印。這就是日本繪本推
廣前輩柳田邦男所說的「繪本三
讀」中育兒階段的「伴讀」，帶
給我又一次的「教學相長」，小
小的小茉莉在好多本繪本裡發現
了許多被我忽略掉的細節和樂
趣，例如Good Night, Gorilla《月
亮，晚安》裡每一頁上那一顆越

飄越高的紅氣球。

　　三年前，全家到美國加州玩，
帶著J媽和小茉莉舊地重遊，漁
人碼頭的店家仍在，只是店中已
少繪本。而當年常去的幾個購物
中心裡的書店，不是遷到房租
較便宜的區域，就是關門歇業，
真是不勝唏噓。正巧遇到了一個
購物中心裡某家書店因為即將結
束營業所舉行的關門大拍賣，每
本只要一元美金，父女倆大肆採
購。加上旅途中所購，回來時多
了一只超重的行李箱，被航空公
司要求減重。汗流浹背的蹲在辦
票櫃台前搬書時，一位經理過
來，看了看滿滿一箱繪本，低下

小茉莉房間書櫃

頭來問問小茉莉，這些都是妳要看的嗎？就靠著小茉莉的這一聲YES，讓我們省下了不少的銀兩和力氣。

　　轉眼間十歲的小茉莉花在閱讀青少年小說的時間上越來越多，而且家中得要定期捐書或淘汰才能空出位置擺放新買的書。再加上台灣有越來越多的圖書館，新舊館中也都闢有兒童書區，書本汰舊換新速度也進步許多，所以偶而也喜歡去圖書館裡看看書，翻閱和感受別人所留下的記憶和烙印。至於我們和書，就不再著意經營、積極搜羅，一切隨緣而喜了。🖋

The Happy Prince（快樂王子）

文：Oscar Wilde王爾德
圖：Jane Ray瓊恩・蕾
出版：Dutton Juvenile

The Happy Prince （快樂王子）裡的小燕子自始至終秉持其真性情，愛著蘆葦、愛著快樂王子。而快樂王子諦觀眾生、以眾生之苦為苦，願渡世間苦厄。快樂王子和小燕子，正是菩薩與羅漢啊。羅漢，其實並沒有佛的大智慧、或是菩薩的大慈悲，只是歷練滄桑後，他們還保有人世間最真的性情。

我喜歡繪本和童話，並不是因為繪本和童話將人間的悲悽和生老病死包裹在天堂或宗教的彩色糖衣裡，而是因為繪本和童話裡保有人世間最單純、最真實和最珍貴的善與美。

The Happy Prince （快樂王子）的版本中，在台灣比較常看到的是Ed Young楊志成繪圖，徐世棠翻譯，和英出版社的版本。我自己最喜歡的是英國畫家Jane Ray 在1995年所繪製，由 Orchard Books 所出版的。Jane Ray 的畫華麗飽滿，但卻不會渲染過度。她以快樂王子所在的城裡和燕子所描述的南方國度雙線交錯進行，南國的溫暖和城中幾乎被人遺忘的那些角落裡的悽苦悲涼，兩相對照，更能引導讀者的情緒。

《只有一個學生的學校》

文、圖：劉旭恭 ｜ 出版：小典藏

劉旭恭老師，請原諒我從一個不同的觀點來喜歡《只有一個學生的學校》。這本書出版的時候正逢太陽花學運，所以讀起來別有感觸。

……「我就知道不進教室的小孩一定在鬼混！」

「這樣翹課亂跑，怎能學到東西呢？」……

特別是看到了小孩畫的書的最後一頁：

「許多怪物打成一團。」

我的另一個感觸是，西裝人也像書裡的各科老師，開口閉口的經濟成長。難道不知道許多傑出的經濟學家，包括諾貝爾經濟獎得主Joseph Stiglitz史迪格里茲，和印度的Amartya Sen沈恩等等，已經大大聲疾呼GDP（國內生產毛額）不能夠真正的衡量人群的生活好壞。永續性、公義和對世間萬物的尊重，應該要獲得更多的重視。

在學運的當時，更難堪的感慨是：那些西裝人不但比不上《只有一個學生的學校》還能夠懂得自我反思，也不如那些老師起初都還會認真重視自己所教的本科，我們卻只有一些只會怪罪媒體愛報導和學生不受教的爺們。

（註：西裝人是幸佳慧老師泛指心繫上位安危，滿口道統傳承，戮力經濟成長的大人。）

《老烏龜》

文：Douglas Wood道格拉斯‧伍德
圖：Chen-Khee Chee徐靖沂
譯：游紫玲｜出版：玉山社／星月書房

一翻開封面，一幅美麗的水彩風景便將人牽引進了一個平靜祥和的世界裡，由右下而左上的平遠法，視線從紅黃綠雜錯的參差枝葉，移到了後方氤氳水氣裡的平蕪水岸，對開的蝴蝶頁彷彿延伸出了無垠的遼闊天地。書裡的畫，無論是動物、人物，還是景象，都立體通透、生息流動。留美星馬華裔畫家徐靖沂說他的創作受道家哲學思想影響，堅守「抽象的開始，具象的結束」的原則，

希望具有時空交錯，古今相融的可能性。

美國自然主義者道格拉斯‧伍德如詩歌般的文句淺明而深邃，故事舒急有致，轉折起落巧妙及時，蘊含天地哲思。伍德在一次接受明尼蘇達州公共廣播電台的專訪中說他喜歡烏龜的溫和、厚道、睿智和謙恭，在這本書裡，他想要說的是：放慢自己，放下自我中心，感受體會周遭的更迭變化。

中文版裡游紫玲小姐的譯文優美流暢，編輯和美術設計也極其用心，中文的字體安排和圖片的大小排列都各得其所。用《Show & Tell》圖畫書評論集作者Dilys Evans 在2010年對凱迪克獎評審委員會演說中所說好繪本的10個特徵來檢視，中英文版在10個項目中都是上上之作。

＊相關連結

畫家徐靖沂網站
http://www.chengkheechee.com/bio/
artiststatement-chinese.html

作家道格拉斯‧伍德網站
http://news.minnesota.publicradio.org/
features/2003/11/28_postt_dougwood/

《說到做到！》

文：Jean Leroy尚樂洛
圖：Matthieu Maudet馬修莫德
譯：賴羽青｜出版：格林文化

顛覆童話最棒的就是以搞笑為主、不說教；反向操作傳統童話的角色特徵來製造效果或笑果。其中最常被圖畫書創作家拿來用的前三名大概是大小野狼、鱷魚和噴火龍吧。

《說到做到！》只有四個演員：有教養的小狼、一隻兔子、一隻公雞和一個小男孩。書本的有趣在有節奏性的反覆，小狼和三個配角的遭遇，幾乎同樣的問答，幾乎一樣的畫面布局，小狼肚子越來越餓，情緒就越來越強烈，積累足夠了，啊！來了個大轉折——天公疼好「狼」，終於讓小狼遇到了一個「說到做到」的小男孩。那麼兔子和公雞呢？怎麼不回話了？跳過的那一個鏡頭呢？很喜歡這麼單純的繪本，什麼都單純可愛。看完後輕輕鬆鬆的開懷暢笑。

自己還很喜歡的「好狼」繪本還有：Look Out! It's the Wolf!、The Chicken Thief、The Big Bad Wolf and Me和Little Wolf's Book of Badness系列

き（《大樹》）

文、圖：齊藤光一｜出版：フレーベル館
（中文版已絕版）

J媽和我都算得上喜歡樹，J媽特別喜歡會開花的樹，我則喜歡欣賞側立山邊，枝椏猙獰的參天怪木。雖然住在喧囂的台北市裡，但是很幸運住家附近美崙公園一帶，大片的綠草地上種了許多的蓊鬱大樹。夏天時鳳凰木挑了好位置，在後方天文館半圓金色球的襯托下開出朵朵橘紅大花，對面科教館前的兩棵台灣欒樹總像是先約定好了，等前面比較小株的開出豔黃花蕊後，後頭那棵就結出了纍纍的磚紅色蒴果。科教館靠士商路的一側則有兩三棵年輕的藍花楹，花開時紫雲裡躲著青翠的綠繡眼，花落時灑下一地粉紫花雨。最搶鏡頭的還是天文館兩邊一排排葉稀花盛的路樹，有的深、有的淺的朵朵粉紅，在清晨一片湛藍的天空下，毫不忸怩作態，落落大方的說出自己的名字：「美人樹」。

所以我特別喜歡以樹為主題的繪本，其中由日本植物學家齊藤光一圖文創作的《大樹》更是珍愛之一。書裡的各種樹木，無論是整株、單片樹葉、果實，或棲息其間的昆蟲動物，不但栩栩如生，經過畫家的慧心巧手，更加表現出自然界造物的藝術之美。可以拿來作為認識樹木的實用圖鑑，也可以作為欣賞植物畫的知識類繪本。

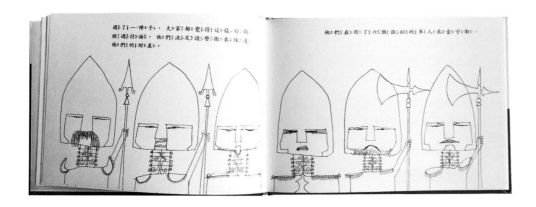

《六個男人》

文、圖：David McKee大衛‧麥基
譯：林真美｜出版：遠流

「大衛‧麥基常感慨於繪本被貼上『兒童專屬』的標籤，他希望他能同時為小孩與大人創作，也因此，它的作品向來都是『老少咸宜』……」（摘自《六個男人》作者介紹）

麥基的書，都很親切。花格子象艾瑪，像是班上愛耍寶說笑的同學。Two Monsters、Three Monsters 裡的怪物，像是自家鬥嘴打鬧的小孩子。而《六個男人》的魅力，就像是坐在大衛‧麥基的前面，聽著他親口講著故事：「從前從前，有六個男人，他們走遍……」全書的圖畫都是黑筆描繪，沒有灰度，更

無色彩，在需要紋理處，就用或直或彎的線條、幾何圖案、點觸小圈圈來表現出面積。這樣一來，讀者更專心在故事的情節。但是看似簡單的筆畫，構圖上卻有著無比用心的切割、排列和組合。以高塔這一個跨頁為例，只在最左邊畫出三個男人正往塔上爬，讓我們自己去想像塔有多高和他們有多擔心會有小偷。故事發展到了後半，近似於埃及壁畫的簡單黑白圖像，更是具有強大的說服力。而結尾的一句話和一個畫面，又迴向了故事的開端，留下偌大餘韻給讀者去回味。

故事簡單直白的說出戰爭的愚蠢，愚蠢的開始，愚蠢的進行，帶來悲慘的後果。

最後，附上曾經提供給某周刊參考的「年近50的單身/居家男人」還是會經常閱讀（至少每一年會想起來去翻一翻）、看完之後笑一笑、想一想的10本圖畫書：

《小朱鸝》

文、圖：周見信｜凱風卡瑪數位出版

用在地心寫在地情。

《小房子》

文、圖：維吉尼亞‧李‧巴頓
譯：林真美｜遠流出版

童年的田野風光多美好，而後安在？

《花婆婆》

文、圖：芭芭拉‧庫尼
譯：方素珍｜三之三出版

大人看Miss Rumphius《花婆婆》的好處是可以不用等長大以後，現在馬上立刻（把説六個字用二個字的時間快快説完，這是J媽的語氣）就能去做一件讓世界變得更美麗的事。

Hurry, Hurry, Mary Dear

文：N. M. Bodecker｜圖：Erik Blegvad

啊，千萬不要為老不修！

The Happy Prince

文：Oscar Wilde｜圖：Jane Ray

快樂王子和小燕子，遠離一切顛倒夢想、究竟涅槃。

The Perfume of Memory

文：Michelle Nikly｜圖：Jean Claverie

閉上埋在層層魚尾紋裡的眼睛，遙想1001夜，皺起鼻子吸一縷巴格達飄來的異香。

Five Little Fiends

文、圖：Sarah Dyer

日月天地海，得花上一輩子思考的哲理。

Just Being Audrey

文：Margaret Cardillo｜圖：Julia Denos

男女老少都喜歡奧黛麗赫本（特別是老男人），看她的故事，感受她的美麗和愛心。

Library Lion《圖書館獅子》

文：Michelle Knudsen蜜雪兒‧努森
圖：Kevin Hawkes：凱文‧霍克斯
譯：周逸芬｜和英出版

J媽淘到送給J爸的寶，封面裝幀顛倒的瑕疵書。

The Glass Heart

文、圖：Sally Gardner

不能去國外旅行，就在繪本裡旅行，欣賞繪本創作家兼導遊娓娓説著旅程上的故事。

陳培瑜

people
18

陳培瑜

曾經在花蓮擁有兒童書店，裡面的繪本和小說，都是自己願意全部帶回家的好作品。
現暫居台北，把自己當成書店，到處與人分享閱讀的花園。

20歲，開始讀繪本

繪本善於引人深思、直透事理中心的本質，
讓我成為繪本愛好者。

我的繪本起點

一個美好又有價值的起點，對於學習任何事物而言都很重要！繪本《天空為什麼是藍色的？》中文版本2000年初版，彼時我23歲，對繪本既無印象，也無成見。在教育心理學的課堂上，唐淑華老師緩緩念著這本書。故事裡的老驢子，總是在青草地上嚼著草、等著小兔子回來聽課，因為懂得很多事情的驢子說：「我知道很多事情唷，像是樹葉為什麼從樹上掉下來，蜘蛛為什麼會織網，天空為什麼是藍色的。」而好動的小兔子在每次老驢子要開始說：「天空為什麼是藍色的？」就忍不住跑去觀察土為什麼是褐色的、急著去追天空上像狐狸和貓頭鷹的雲，甚至還開心地跟老驢子宣佈牠自己的觀察：「有時候太陽出來了，還是能看得到月亮喲！」只是小兔子不再回來聽課，老驢子再聰慧的學識，也派不上用場，直到……

念完故事後，唐淑華老師淡淡地提醒未來可能身為教師的我

們，一定要記得這個故事。對於「作為一個老師」我其實早已經有許多想像，因此我知道自己一點都不想成為故事前半段的老驢子。但更令我印象深刻的是：「些許插圖和一個看似簡單的故事，竟然就能道盡為人師的核心價值！這種型態的書，也太神奇了吧！」後來，我當然知道這就是繪本的神妙之處，至於這堂課則成為我個人的繪本生命起點！

在累積了更多的繪本閱讀經驗後，繪本善於引人深思、直透事理中心的本質，讓我成為繪本愛好者。儘管其出版規格看似受到限制，但好看的故事像是個有教養的人，總是毫不勉強又適切地出現在生命裡，累積成為記憶的一部份。

但最好的作品是哪一個故事？最印象深刻的又是那一本？

我極度建議，透過暸解自己的心智，不帶激情，也無需故弄神秘，有娛樂效果也行，具深度的靈魂感動也好，繪本值得你都讀讀、都試試。讓繪本故事的提點，不斷翻攪自身的生命點滴，並與繪本裡的故事對話、與繪本外的人事物互動。相信我，這並不全然會是個愉快的思考經驗，但我卻始終享受著。如同盧梭在《懺悔錄》中開門見地說：「我要開始一件空前絕後的工作，我要為我的同胞真實不偽地描繪一個人，這個人就是我自己……就算我不比別人好，至少與眾不同。」

我堅持，一個人讀著繪本時，理該也是如此！

陳培瑜的書房

陳培瑜的

——————

繪本推薦

看不懂的書也還是要看
The Lost Thing（《失物招領》）

文、圖：Shaun Tan 陳志勇
出版：Lothian Children's Books

《失物招領》也是在此心境下成為我生命中極為重要的繪本之一。

經常在海邊行走，敏感度極高的人總是能在海水的氣味、浪花、溫度中感受到些微的小小差別。但《失物招領》裡沙灘上走失的生物，「其他人似乎都沒注意到它的存在」（頁3），但是它分明有著不同於玩耍中的人們的巨大、深紅色身軀，和「詭異——那是種傷心、失落的表情。」（頁3）

如此的不同，引起主角的行動，他說：「我的好奇心很自然地被挑了起來。我決定前去調查。」調查過後，原來「……就只是弄丟了！」（頁9）被弄丟的巨大身軀，要如何協助找到棲身（心）之處？主角首先來到一個看似適合的高樓，但一經外表看似清潔工的人提醒，主角知道自己或許找錯了地方。清潔工說：

「要是你真的關心那東西，你就不該把它留在這裡。」微小的聲音說著。「這是徹底遺忘、拋諸腦後、文過飾非的地方。來吧，這個你拿去。」（頁20）

初看此書，是在經營凱風卡瑪兒童書店之時，畫家陳志勇的畫風及說的故事，並非庶民小菜，能夠第一口就感覺到美味，其作品極需要讀者準備好：足夠的耐心、信心和對於模糊曖昧不清故事的高接受度，才能一口接著一口，感受他所烹煮的繪本美味。

就像《失物招領》一書，光是在蝴蝶頁上的77個不同圖案的瓶蓋，就讓我當時在書店裡還沒完成其他書籍的上架工作之前，就忍不住直直坐在書店的地板上左翻右看了十幾次。

這本書後來當然持續放置在凱風卡瑪的書櫃上，以書店經營者追求利潤的情況下來檢視，這本書過了三個月到半年早該下架退回；但身為讀者的我卻固執地相信《失物招領》裡那個弄丟的東西、那位幫助找去處的主角、那些城市裡視而不見的人們……一定是某個讀者的閱

我們到了一幢沒有窗戶的灰色高樓。那裡頭黑漆漆的，而且聞起來有股消毒水味。我跟櫃臺的接待人員說：「我有一個走失的東西。」
她說：「把這些表格填妥。」

它發出了一個小小的難過的聲音

讀靈魂裡極需要的「失物」，我的書架只是先幫忙保管著這個故事，等到有一天遇見了某個需要找故事的人，這本書自然就會找到了主人——他或許會「愛」這個故事，也或者他自己就像是弄丟的東西！

陳志勇的書，真的不好懂，因此常有人問我：「這本書到底是什麼意思啊？」之類的問題，我只好挪用書裡主角的話說道：

「嗯，說完了。故事就是這樣。

我知道，它沒什麼特別深刻的意義，不過，我從來沒說過它有。

所以也別問我它有什麼道德教訓。

我的意思是，我不能說它最後去的地方就是真正的歸宿。老實說，那裡所有的東西也並非真正屬於那地方。不過，他們似乎都還滿快樂的，所以，或許這已經不重要了。我也不知道……」（頁28）

如此靜態地描述著「那個東西」的歸宿，陳志勇給了讀者一個令人安心的交待。至於「快樂」的品質，恐怕得是讀者該負的責任——自行虛構想像，不論你是內心複雜、感情強烈或是仍在感動的距離之外，在闔上書本之後，故事仍得持續，未完。

至於懂不懂，似乎不足以在此相提並論，作者離萬里之遙，他不會在意的。他想說的，都在書裡了！

沒有字就看圖

PRAIA-MAR (海邊的沙灘)

文、圖：Bernardo Carvalho
出版：Planeta Tangerina

初見PRAIA-MAR是在2014年台北國際書展版權交易區。雖然看不懂書封上的題名，但封面圖上9位姿態形貌各異的男女在湛藍海洋旁的自在模樣，是長居東海岸十多年的我，似乎都未曾感受到的自在。

翻看此書，最令人印象深刻的是畫家只用了紅橘色、白色、黑色和藍色，並且在毫無文字的説明下，讓看似單調的用色，將在沙灘上、在海水裡的人畫得像是有千百種動作、感情和思緒，等待讀者透過觀看去共同感受海的召喚。此外，畫裡的肢體線條和海水的描繪，是以極為精簡的線條和色塊所組成，初看個別畫面會覺得很像是海邊的人物靜態畫，但只要不中斷地看完整本書，書裡每個主角的動作和姿態就像是動畫般地活著跳了出來。

更棒的是故事的結局。在倒數第三頁裡，露出半個人身的戲水人，在水裡的身體倒影已有魚的形態；再翻頁，人似乎全沒入水裡，只看到水裡的影子；最後一頁，影子則全部幻化成魚，向遠方游去。連續三個跨頁的安排，展現人與自然之間的生命連結，寓意深遠。

因此我第一次在無字書裡感受到：無字的設計，是為了讓讀者能夠藉由圖畫的引導而盡力開展想像的空間，並在與真實世界平行流動的想像世界裡盡情享受似真如幻的故事。

習慣聽故事、説故事的成人，來到無字書前，總得從「看故事」開始，尤其是對於已經熟悉採用文字擷取訊息、找到對話起點的成人來説，無字書經常讓人覺得摸不著頭緒。但若願意帶著挑戰自我的心情，我總是極力鼓勵成人以無字書做為進入繪本的起點，喚醒喪失已久的讀圖能力，讓圖畫引領初心。

以繪本對看人生──海洋，是我長居東岸時期最常獨自拜訪的朋友，經常不講半句話，海就能將我再次扶穩，讓我轉身背海而起地行走，力量十足。

花園小沒關係，只要你力量大
《走進生命花園》

文：提利・勒南｜圖：奧立維・塔列克
譯；柯蕾｜出版：米奇巴克

那麼書外的真實世界呢？

《走進生命花園》是一本逼迫讀者把眼睛帶到真實世界不完美場域中的好繪本。因為書裡講述了戰爭、飢餓、貪婪的社會境況，而這些場景，書裡的孩子，一直看在眼裡，但孩子並不抱怨，也不憤怒，他（她）只是想著「應該」怎麼做，才能讓世界變得更好。像是「讓雨水灌溉在沙漠上，挖掘流著水和牛奶的河流」、「和別人分享金錢、麵包、空氣和土地」、「把海洋清洗乾淨，然後坐在大海前面，自由地夢想」。

書裡主角直視著世故險惡，並且生動的描繪出用力扭轉後的理想世界場景，這是因為感性還是理性？

成人或許難以想像，孩子也可以造成改變。但，孩子如何改變世界？

作者提利・勒南給了讀者希望，他將故事主角設定為「一個尚未出生的孩子」，讓一直看著這一切的孩子「決定……出生！」

新生就有了希望。否則，轉身可見的真實生活，讓人如此悲傷；難道就真的只能再轉身低頭，一昧地躲進書裡的世界？此時此刻的世界正在以摧毀自我而活，但無奈的是，我們卻又都得靠此而活。因此，土裡的新芽、不斷既起的生命，似乎可以是所有事物的解答和努力的原因——而這也是我喜歡這本書的原因。

人生的確有許多災難，但災難並不是全部，不論是道德性的束縛、心靈層次的解脫，人都必須不斷在極為複雜的想像王國裡，建構著生存的態度，否則如何面對人生中不間斷的災難？

等公車時真的可以想很多
《搭公車》

文、圖：荒井良二｜譯：林真美
出版：青林

《搭公車》前背著又大又多的行李，漫長等待、等到了公車又不一定上得去公車……這算是一種災難感受嗎？

書裡的主角一開始便說：「我要搭公車，去很遠的地方。」

等公車的地點似乎是在沙漠裡的一個紅磚小亭，只有主角一個人在等公車。圖畫裡太陽暗示著熾熱的高溫，但主角卻說：「天空好藍，風輕輕的吹。」

等待著的公車呢？

「公車還不來」，但是來了一台牛車——在此頁中，作者荒井良二刻意將視角抬升，帶領讀者從高空俯視公車亭和牛車，丁點大的尺寸對照著無垠的沙漠和不斷升高的溫度，「等公車」這件事情的難度變得更高了！

故事繼續寫道：

「然後我打開收音機。這個音樂我從來沒聽過。

咚咚啪咚

咚啪咚

公車還不來。」

沙漠裡的收音機，是真實的嗎？它能收聽到多少距離外的電波？作者似乎是藉由詩歌和音樂的珍奇世界來表現一個幻想中的現實，以更加神秘的世界暫時取代了真實的沙漠、真實的公車亭！

身為讀者，我在故事中感受的一貫不明言說盡的隱喻，其實是我身為讀者的「翻譯」，為自己詮釋故事的方向。若說荒井良二的《搭公車》是故事的起點，讀者心中的解譯也絕不是憑空創作。

故事裡繼續等著的主角，端坐的姿態始終沒有改變，就算在他面前經過了一輛大卡車、騎馬的人、騎腳踏車的人，天也黑了，他卻始終沒有展現出不耐煩、久等的憤怒，他都只是說著「公車還是

《搭公車》，青林國際出版，p.24-25

沒來」！

然後他睡著了，躺著，滿天星空下的一宿，不知道他睡得可好？還是他坐了一整天的沙漠，其實就是場夢境？

第二天，太陽從東方升起，直到太陽來到了頭頂正上方，公車還沒來。

總算「來了，來了。塵土飛揚，公車終於來了。轟－－－－－」

「可是，客滿了，上不去。」

怎麼辦？

這個等待令人留下難以磨滅的印象，當我第一次看完此書後忍不住揣想：「等待著的，真的只是公車嗎？」或者，書裡始終沒有交代的遠方，究竟有多麼美好，值得主角大包小包的千山萬水直奔而去？

這本書實在很適合「喜愛問題甚於答案的人」，也就是說，書本不僅只是給予答案。荒井良二的創作經常以反映社會議題，《天亮了，請開窗》就是為核災後的日本社會所作。對於看似充滿失落感的社會而言，文學和藝術的創作者在創作時對於社會議題的介入不論是訴諸理性思考或是感性訴求，都是期望引起讀者對所處社會有所反思，《搭公車》於我而言，正是這樣的繪本——看似簡單少字的故事，但作者相信讀者的本質必定是在閱讀中思考。

找到一隻熊
《熊啊》

文：星野道夫｜攝影：星野道夫
出版：天下雜誌

這就是閱讀的迷人之處：初始的閱讀，
故事是吸引我們持續的動力。漸漸地，
書本帶領我們看到社會的真相，就像是
那位叫喊著「國王根本什麼都沒穿」的
孩子，一路引領，讓所有渴求看盡世界
多元樣貌的人，在書本裡得到滿足，甚
至開啟改變人生的關鍵之路。
有日本國寶生態攝影家之稱的星野道夫

走上阿拉斯加，正是回應了書的召喚。
十六歲時的他在二手書店看到阿拉斯加
的攝影集，為其震撼，決定此生必定要
往那裡前去。多年後他總算成行，《熊
啊》一書中起始就寫道：
「我一直期待見到你。
在遙遠的童年
你在故事裡
但是 曾經
神奇的體驗
讓我在路上
突然想起了你
在搖晃的電車中
在過馬路的霎時
我想到
你或許正在一個
不知名的山裡
重步行過草叢

跨過一棵
倒塌的巨木」

多年後，他長期在阿拉斯加野外，透過鏡頭擁抱連綿無盡的大地。根據他自己的說法，雖然自然生態攝影是將自身曝露在高度危險的自然場域之中，但他從不帶槍，這是為了避免自己在自然裡放鬆。但也因為如此，1996年他意外死於森林中，時年44歲。

在許多書單的作者中有很多人其實比星野道夫偉大，但是星野道夫的人生觀及長期在阿拉斯加的行動實踐卻深植我心。

閱讀的意義因人而異，於我而言，在累積不斷的閱讀思考和生活環境中，人必定會對某些事物產生習慣性和依賴性，於是可預測性的生活好像才是追求的人生重點，但是卻也在無意中使之變成了意識形態和刻板印象。

但是不可預測的明天，甚至是下一秒鐘，好像就只能是文學裡的生活！於是當我看到星野道夫的《熊啊》書裡的攝影作品和文字時，所有可以立即指認、無法辨識的自然環境，都讓我深深著迷。雖然我不是一個在野外生活的高手，但自然其實一點都不難懂，大地所給予每一個人的意義也不盡相同，甚至代代之間都有差異，但我始終相信：所有從自然給予人類的意義，絕不是平庸無奇的！

自然環境與人類文明發展之間的核心問題始終沒有改變，但此一核心問題究竟是在為自然請命、為自然辯護還是在以更積極的作為服務人類的需求？直到世界末日來臨之前這個問題都不會有拍板定案的結論。只是人與自然之間的複雜互動，我似乎在這本書裡看到明亮的方向。

讀自己喜歡的書

　　當此文寫成之際，這些繪本姑且能夠做為我此一生命階段對於「成人讀繪本」主題的回應，但請相信，變動的生命中，因著不同的人事物所給予我的生命刺激和體驗，每本書的個性與吸引我的地方也必然有所變動。

　　也就是說，同一本書，當我在不同生命階段時，必然會因為不同的原因再拿起來翻讀；也或者說，我因為遇到了不同的事情，而把早就認識的某一本書解讀成不同的方向了。於此改變，我欣然接受，並樂於在不同的繪本中慢嚼生命喜怒哀樂。希望你也是如此。

19

蕭裕奇

旅行作家,筆名「棋子」。喜好旅行、攝影、閱讀、寫作與素描,曾任職網頁設計師、網站企畫,現為國小閱讀教師,喜愛說故事,更是家裡兩隻小怪獸的專職床邊故事爸爸。

與失落的一角相遇

我們終其一生都在尋找那個失落的一角，
但與繪本的相遇，卻在找尋過程中，豐富了我們的生命。

　　在河合隼雄、松居直、柳田邦男三人合著的談繪本的專書《繪本之力》中，評論家與作家柳田邦男曾說過他與繪本相遇的故事。57歲的那一年，他的25歲次子自殺了，對他來說，瞬間世界陷入黑暗，他開始疑惑生命到底是甚麼？就在他每天哀痛又過著行屍走肉的生活時，某一日，他無意間走進了書店，在書店遇見了繪本，彷彿就好像是他的次子用繪本召喚了他，他打開宮澤賢治的童話繪本《風之又三郎》，在那一剎那，開始有微風吹進了他黑暗的內心，他獲得了重生。從此，他把看繪本當成了是人生最重要的事，與許多美好的繪本相遇，也再與許多美好的生命再次相遇。

　　這是我聽過最美、最有療癒性與繪本相遇的故事。我與繪本的相遇沒有那麼有故事性和療癒性，但卻和緣分仍脫不了關係。十多年前，在還未當國小老師前，我和幾位朋友因為要考教師甄選，組了一個小小的讀書會，除了討論考試的事，最令人愉快的事就是我們每次都會討論一些繪本，還有如何把繪本應用在教學上的事。

　　後來，幸運地考上國小老師，不喜愛考試的我卻想找一個自己喜歡的研究所進修，一個朋友跟我推薦了台東大學兒童文學研

《繪本之力》
作者：河合隼雄、松居直、柳田邦男
譯：林真美
出版：遠流

《風之又三郎》
作者：宮澤賢治
譯：徐華鍈
出版：立村文化

究所，朋友說她很想去念，叫我陪她一起去考。當時台東大學兒文所是相當熱門相當搶手的研究所。結果好笑的是，沒甚麼準備的我考上了，而一開始邀約我去考的朋友卻落榜了，我一個人踏上了台東的念書旅途，從此與台東還有童書也結下了解不開的緣分。

在未念兒文所之前，我最喜愛看的是小說，開始念兒文所之後，少年小說、童話、童詩、圖畫書等類型開始大量地堆疊在我們的眼前，然而最吸引我的正是繪本。我記得以前在念兒文所時，是在台東市的舊校區，上課的地方就是一個圖書室，裡面有

滿滿的繪本，當時很少去一般圖書館繪本區的我，第一次看到有那麼多繪本，後來只要一下課或是中午午休或等下午的課時，我就會脫掉鞋子，拿著一本本繪本，躺在那個圖書室的榻榻米上看書，有時太累了，所幸就直接躺在榻榻米上睡著了。

到了研三時，系上來了一位研究圖畫書的郭建華老師，也多了圖畫書和繪本這堂課可以選修，愛繪本的我們理所當然的選修了她的課。其實她的課並不輕鬆，作業也不少，卻是念研究所這些年，我最喜愛的其中一堂課，我覺得在郭老師的帶領之下，我們不再只是會看皮毛的繪本讀者，

而可以更進入那個如夢似幻的世界。我記得有一次上課，外面天氣非常熱，研究室裡冷氣開得特強，我看著外面樹的影子，突然想到了一個故事，在10分鐘之內，把那個故事寫完，後來回去之後，又笨拙想到幫故事畫點東西，然後我完成了人生的第一本繪本《躲在影子裡的夜晚》，一個很迷你的黑白故事，我還把它做成了手工小書給郭老師看，後來有同學無意中看到我這個小繪本，竟也好喜歡，還問我可不可以幫她做一本。這個繪本我之後曾投去耕莘文學獎繪本類的比賽，甚至還得到了佳作。

那是我至今唯一一本繪本創作，但直到現在我仍很喜歡那個故事，然而更令我難忘的正是那個在上繪本課時突然的靈光乍現，我很難忘記那個炙熱上午在研究室裡的光景，還有我在講義上畫下、寫下的草稿。

幾年後，我有了家庭和孩子，看繪本、讀繪本，自然也成了我們陪伴孩子最重要的事情之一，雖然我的孩子比一般的孩子還不容易去聽故事和了解故事。

雖然一直在當小學老師，但是因為職務，加上是在制式的教育體制下，很難把自己對圖畫書或繪本的喜愛，發揮在職場中。一直到今年，我有機會當了學校的閱讀老師，開始用故事和繪本餵養孩子。在這之前，我從未講故事給那麼多孩子聽過，然而，當我開始和學生看起繪本、讀起繪本之後，那些我曾經只是聽過的那道光開始一道道地出現在我的眼前，它們從一個個孩子的眼神中散發出來，我覺得好像在做夢一樣，我以為我在用故事餵養著他們，卻發現自己才是那個被餵養的人。

我們終其一生都在尋找那個失落的一角，但與繪本的相遇，卻在找尋過程中，豐富了我們的生命。

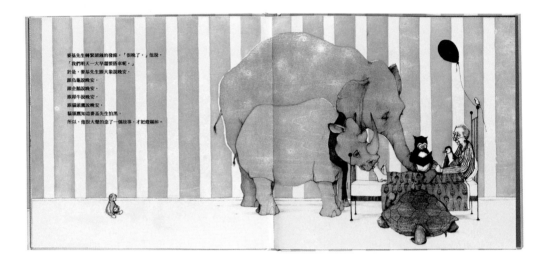

《麥基先生請假的那一天》

文：菲立普・史戴｜**圖**：艾琳・史戴
譯：柯倩華｜**出版**：小魯文化

這是一本光是看封面都讓人覺得溫暖的繪本，敘述一個叫麥基先生的老人，每天會去動物園裡工作，陪伴他每一個動物好朋友，陪他們下棋、賽跑等。有一天，麥基先生生病了沒有去動物園，動物們很擔心，於是，他們出發了……
簡單的故事，卻把人與動物之間深刻又細膩的感情描寫得溫暖感人，在看故事的時候，都會忍不住心中湧出一陣暖意

出來。故事充滿真誠的情感，本身就很動人，而繪者的畫風更是畫龍點睛，看似輕描淡寫的筆觸與畫面，繪者以版畫拓印出柔和的色塊，再以鉛筆勾勒出細部的輪廓，有著大量的留白感，簡單淡雅迷人，而且也更加強化了人物、動物的表情與動作，故事的情節與繪者的巧思在許多畫面中都和諧地融合在一起，紅氣球的隱喻，很難不使人喜愛。
附帶一提的是，個人覺得本書似乎也提出了孤獨與獨居老人在晚年間的寂寞，更值得我們探討與重視。

《大猩猩》

文、圖：安東尼布朗｜譯：林良
出版：格林文化

安東尼布朗的名字，喜歡繪本的人絕對不會陌生，他拿遍了安徒生大獎、凱特格林威大獎等各種圖畫書大獎，是當代最重要的圖畫書藝術家之一。他的畫風和故事都十分獨特，不過我也發現他的作品很兩極化，喜歡他的人非常喜愛，不喜歡的人則很不喜歡。

為什麼會這樣？我覺得很大的原因是他的畫風，他受到超現實主義的影響，圖畫的風格都有些灰暗和怪異，有時看到裡面的人物或動物，甚至看到起雞皮疙瘩，也包含其中的許多隱喻，可以想到他圖畫裡強大的力量。安東尼布朗很喜歡靈長類動物，畫了不少本和靈長類有關的繪本，我很喜歡他的《動物園》這本書，極盡諷刺人與動物園的關係，動物園存在的意義是甚麼？

但他的書，我最喜愛的是《大猩猩》，這也是他的成名作品之一，同樣令人覺得不安的畫風，當裡面的大猩猩看著你時，你甚至會覺得他看透了你的靈魂。故事內容講述一個很喜歡大猩猩的女孩，爸爸一直沒空理她，直到生日前一天，爸爸送她一隻猩猩玩具，那一晚，玩具變成真的大猩猩，帶女孩去了她一直很想去的動物園。不論是超現實或令人不安的畫面與故事，還有最後故事的結局，都會讓人很難忘記這一本經典的繪本。

他們打開前門，走到屋外。

大猩猩說「安娜，我們走吧」她輕輕把安娜抱起來。他們出發了，從這棵樹盪到那棵樹，一直盪到動物園。

《小房子》

文、圖：維吉尼亞‧李‧巴頓
譯：林真美｜出版：遠流

很久以前就看過這本書了，當時就很喜歡，後來不論
在研究所、學校裡、陪孩子，又看過了好幾次，本來
只是單純地喜愛書裡的故事，疼惜小房子的存在。小
房子本來在寧靜的村莊裡，靜靜地度過了春夏秋冬，
直到土地開始慢慢被開發，房子越來越多，建設越來越多，村莊漸漸變成了都市，
而小房子仍屹立不搖又格格不入地在都市裡存在，最後小房子主人的後代，將小房
子遷走了，遷走那一天，都市所有的人都在觀看，小房子最後又回到了他喜愛的寧
靜村莊，與美麗風景作伴。

不過到了後來，因為台灣這幾年都更、徵收農地蓋東西的許多爭議不斷，才驚覺這
不就是小房子的故事裡所發生的事嗎？其實小房子的作者正是要表達與諷刺美國社
會資本主義與都市化，對土地和人們所帶來的巨大變化與破壞，而這些事也正不斷
地在我們社會發生著，小房子主人的後代沒有忘記長輩所說的話，知道有些東西比
金錢還要重要，將小房子保留下來，但是現實生活中呢？

面對土地與社會的變遷，人是關鍵，透過這本書，可以看到也可以和孩子討論很多
事情，未來還有很長的路要走。值得一提的是，我覺得這本書的文字也相當詩意。

愛莉亞的家裡堆滿了書，
茶几、窗戶、地上到處都是。

巴經沒有空間放其他的東西。

The Librarian of Basra: A True story from Iraq《巴斯拉圖書館員》

文、圖：Jeanette Winter 貞娜‧溫特
出版：HMH Books for Young Readers

孤陋寡聞的我是因為學校辦一個書展，在找跟「圖書館」有關的繪本時，才知道這本繪本的。看完之後深受震撼與感動，雖然它是一本看似簡單的繪本與故事，但是所具備的力道卻很強烈，只要是愛書人，很難不被感動。

這本繪本是根據真人真事改編的，作者在《紐約時報》上看到這個伊拉克圖書館員的報導時，便立即決定要為這個真實故事繪製一本書。愛利亞‧默罕默德‧貝克是伊拉克巴斯拉城的圖書館員，十四年來，她都是巴斯拉的圖書館員，有一天戰爭爆發了，愛利亞很擔心圖書館和裡面的書都會毀掉，開始想盡辦法搶救圖書館裡面的書。

書本沒有直接控訴戰爭的可怕，也沒有控訴國家對文化的不堪，卻藉由一位將書視為寶藏的圖書館員的故事，讓人了解人的價值、書與文化的價值，有人用生命在守護這些事情，不分種族、宗教、政治、國籍，這本書讓我們看到了我們所不知道的世界，更讓我們了解人與書之間真摯的情誼。

2014年，巴斯拉的圖書館重建，而那些書仍被愛利亞守護著。

《瘋狂星期二》

文、圖：大衛·威斯納｜編：郝廣才
出版：格林文化

有時，喜愛看繪本的我們常常會想著，到底我們喜愛看繪本，是喜歡看它的故事或是圖片呢？每一本繪本中，圖片與文字的關係到底是甚麼呢？不過，在看大衛威斯納的瘋狂星期二這本完全沒有字的書時，這些問題可以完全拋在腦後。

我記得第一次看這本書時，有點被震撼到，因為沒有字，每張圖也不一定有關係，根本不知道它在講甚麼？也沒有想到竟然繪本也可以這樣表達。繪本裡，描述一個星期二晚上，一群飛起來的青蛙所發生的事，每張圖都很有趣，但要說有甚麼故事內容，則要看每一個人的想像力。

有一陣子，我家小孩很喜歡這本書，所以常常在看，發現孩子他在書裡所發現的東西和我們其實不太一樣，我想這就是偉大的作品厲害的地方吧，不需要過多的詮釋，就可以讓看的人無邊無際地想像與飛翔。

至於為何是星期二晚上發生這些瘋狂的事呢？我想你想選那一天要瘋狂應該都沒問題的。

【旅之繪本】，福音館書店／青林國際出版

《旅之繪本——中歐》，青林國際出版，p.12-13

【旅之繪本】

文、圖：安野光雅｜出版：青林

繪本這個名字其實是從日本傳過來的，日本是亞洲國家中將圖畫書或繪本發揚光大的重要國家，甚至以繪本之名成立的美術館，連歐洲幾個擁有許多世界知名繪本作家的國家都比不上，當然日本也產生了非常多重要的繪本作家，如果要舉一個最重要也最知名的作家，我想安野光雅絕對是其中之一。

這位曾經獲得安徒生大獎的日本繪本大師，最重要的作品就是安野光雅環遊世界後所畫下的【旅之繪本】系列，這也是我個人非常喜愛的一套書。這是一套主題包含日本、中國、中歐、義大利、英國、美國、西班牙、丹麥的繪本套書，完全沒有字，只有圖畫，多年前頭一次看這一系列的書時，其實一點感覺也沒有，直到後來，再次翻閱了這一系列的書，深深地喜愛著。

每一本【旅之繪本】，都是由一位划船前往那個國家的旅人開始的，以他行走過的每一個地方來介紹這個國家。【旅之繪本】的每一幅圖畫都非常優美細膩，甚至覺得有日本浮世繪的影子，但如果只是細膩其實也沒甚麼了不起，當我們仔細地看著每一張圖畫，則會發現原來每一張旅之圖畫都大有玄機，安野光雅就好像是一位文化、建築、美術導覽員，他將許多關於那個國家的文化、建築、美術埋在不同的圖畫中，有時那些隱含的東西很微小，都等著讀者去發現，作者必須做了很多功課又博學多聞才有辦法將這麼多東西放到圖畫裡。他甚至把名畫、藝術品、古蹟、兒童文學的故事等隱藏在其中，每次發現都會忍不住會心一笑，雖然沒有字，但常常一張圖畫就會看上許久。

這麼多的【旅之繪本】中，我最喜歡那一本呢？我想中歐和丹麥我都非常喜愛。

《活了一百萬次的貓》

文、圖：佐野洋子｜譯：張伯翔
出版：上誼文化

有些書是那種一唸給孩子聽，孩子就會馬上被吸住的書。《活了一百萬次的貓》正是有這樣魔力的書籍，書中描述有一隻死了一百萬次，又活了一百萬次的貓，他的生命所經歷的各種事。他每次都因為不同原因死亡，每次都有人為他傷心欲絕，但是他卻從未掉下一滴眼淚。直到有一天，他不再是屬於誰的貓，他只屬於自己，遇上了另一隻白貓，從此他的生命整個改變了。

作者佐野洋子是日本一位在很多領域都很活躍的作家，除了圖畫書、小說、散文的作品都很出色，她的文字簡單幽默又常常一針見血，她的畫風平易溫暖，所以在看這本書時，我們會因為故事和圖畫裡的情節，時而歡笑，時而悲傷。孩子則會為裡面都不會死的貓逗得哈哈大笑。

這是一本大人和小孩都一定喜歡，可是看完卻感觸完全不同的繪本。它看似簡單有趣，卻又寓意深遠，用極為巧妙的方式描寫了生與死以及愛。有人開玩笑說，這是一本讀了一百萬次也不會膩的作品，事實上，我也沒有看過哪一本談論生命與愛的圖畫書，可以像這本書一樣令人又哭又笑，卻又深深烙印在腦海中。

《跟阿嬤去賣掃帚》

文：簡媜｜圖：黃小燕｜出版：遠流

讀研究所時，老師出了一個作業，請我們去訪問一個台灣的繪本作家，那是一個有難度但是卻很有趣的作業，我當時選的繪本作家其實並不是專門畫繪本的，而是一位藝術家，她叫黃小燕，我因為她其他的著作而認識她，很喜歡她的作品，所以選了她做為訪談的對象，當時她與簡媜老師合作出了一本繪本《跟阿嬤去賣掃帚》。

這是簡媜老師描述兒時在蘭陽平原，與阿嬤一起去農田裡綁掃帚、賣掃帚的回憶與故事。簡媜細膩的文字把六十年代農村質樸真摯的景象、人情味描寫得溫潤淳樸，然而黃小燕老師所配上的圖畫，更是把整本書的氣味整個誘發出來。她考究了當時農村的許多材料，運用了各種不同的媒材與技法來完成這本繪本，裡面許多跨頁的圖畫都好精采，她與簡媜老師的文字，琴瑟和鳴，一邊看文字一邊會被那些圖畫深深地吸引，至今這本繪本的畫風仍是台灣繪本中我最喜愛的一本。

許多過往的生活，都永遠消逝了，跟阿嬤去賣掃帚，並不只是一個單純賣掃帚的故事而已，它包裹了台灣最原汁原味的質樸生活、人與人之間的濃厚溫情。那些最好的時光已逝去，所幸這本繪本將它保留了下來。

20

諶淑婷

曾擔任報社記者,主跑兒童教育、兒童文化,以「少年虞犯」、「校園霸凌」等議題獲優質新聞獎專題報導獎。之後進入台東大學兒童文學研究所。現為全職母親,偶爾兼職寫作。

在繪本中建立屬於自己的故事

能享受繪本閱讀樂趣的成人是幸運的，
這些適合孩子們讀的純真之書，我們讀來更能為逐漸疲乏的生活
添加勇氣、希望、熱情與喜悅。

　　我的童年記憶裡並沒有繪本的存在，那時也沒有故事媽媽在晨光時間為學生說故事。只有小學與初中學歷的爸媽，白天是造就台灣經濟起飛的勤奮勞工，晚上會在報紙邊緣空白處，教我幾道數學題目，作業寫完了，全家一起看電視，九點準時上床關燈睡覺，爸媽躺在孩子身旁說故事直到入睡，那是電影裡才有的情節。

　　那不代表爸媽不愛我，也沒減少我對閱讀一分一毫的熱愛，只是當朋友談起某本小時候讀過的故事書、陪伴自己成長的繪本時，我還是羨慕那樣的閱讀記憶。

　　這幾年工作與研究所進修緣故，逐步踏入兒童文學的世界，才發現這些「給孩子的書」真好看，優美簡單的文字與可愛柔和的圖畫裡，暗藏了許多訊息與寓意，有時讓人微微一笑，有時讓人落下眼淚，幾十頁的篇幅卻有說不盡的故事。

　　兒子出生後，我開始抱著他讀繪本，偶爾長輩取笑：「他聽得懂了嗎？」「他現在不懂，有一

天會懂的。」我總是這麼回答。

我們讀《好餓的毛毛蟲》，那是兒子收到的第一本禮物書，拉著他短短的手指去摸摸內頁的孔洞，告訴他一個蘋果、兩個梨子、三個李子，讀《親一親》，他學會探頭親吻書上的小金魚與小猴子，而讀完《抱抱》、闔上書本前，一定張開手臂擁他入懷。

在閱讀繪本的過程中，我們不斷訴說著愛，愛兒子一點一滴的長大，愛他有點笨拙的摸索翻書，愛他學會辨認，能準確在書架抽出最喜歡的書，「吶！吶！」要求我們讀了一遍又一遍。閱讀，讓我們解放了僵硬多年的肢體語言，繪本中的文字引導我們觸摸彼此的臉頰，親吻雙頰，擁抱彼此，還有一直說愛。

我從來不知道說故事是這麼美好的事，將世界一點一點的展現在一個新生命的眼前，有時翻頁後，兒子會驚呼，急急翻回前一頁對照，意外「變化」之快。如果說繪本是孩子來到這個世界的一雙翅膀，那這些奇妙又可愛的書本，也帶領長大後的我飛回小時候的世界了。

這二十多年來學習的文字思考先放下吧，從圖像閱讀開始做起，無文字書不應讓人心慌，那是發揮觀察、想像潛能的大好機會，我感覺自己回到了不識字的年紀，大膽而隨意的詮釋出一個獨一無二、只屬於我的故事，這是兒子教我的讀繪本之術。

繪本從來就不只是寫給孩子的書，能享受繪本閱讀樂趣的成人是幸運的，這些適合孩子們讀的純真之書，我們讀來更能為逐漸疲乏的生活添加勇氣、希望、熱情與喜悅，而當我們躺在孩子身邊，一起讀一本繪本時，那累積在書頁翻動間的閱讀溫度，已經溫暖了我心中那個不曾在讀書聲中入睡的孩子。

諶淑婷的

繪本推薦

《親一親》

文、圖：三浦太郎｜譯：鄭明進
出版：小魯文化

《親一親》、《這是我的》、《排好了唷》是三浦太郎的育兒筆記，隨著家中寶寶不同階段的成長變化，他記下了自己的發現與感想，讓爸媽讀來倍感親切。

其中《親一親》談寶寶與爸媽的親密互動，最受兒子青睞，內容非常簡單，只有六幅跨頁圖，共十二頁，但圖案鮮明容易吸引寶寶目光，作者重複了幾種可愛動物親一親的圖像，最後延伸至寶寶與媽媽的親密互動，對了，別忘記爸爸也要親一下喔！

肢體間的親密互動，對寶寶來說是非常重要的情感需求，透過擁抱、親吻、照顧與陪伴，能讓他們穩定情緒，慢慢建立起以主要照顧者為主的人際關係，無論是喜悅或哭泣、不安，都能透過一個親吻，讓他們有勇氣繼續探索生命。

《好餓的毛毛蟲》

文、圖：Eric Carle 艾瑞・卡爾｜譯：鄭明進
出版：上誼文化

「這是每個孩子都必須擁有的一本書！」送這本書給我的朋友這麼說，那是我第一次認識這隻不太可愛的毛毛蟲。

這本書是艾瑞・卡爾代表作之一，獨特的拼貼圖像與繽紛色彩是強烈的個人風格。故事開頭是一隻剛從蟲卵孵化的小毛毛蟲，為了填飽肚皮，一週七天吃了各式各樣的食物，最後蛻變成美麗的蝴蝶。

書頁上的每種食物中央都打穿了洞，一個洞、二個洞、三個洞……，就像被蟲蛀咬過的痕跡，搭配隨著日期逐漸增加的食物數量，孩子讀書時就像在玩數數遊戲。

而成長又是多麼有趣的一件事啊！必須被餵養身心、嚐遍世界不同滋味，甚至付出點代價，這一路雖然漫長，卻滿滿是對生命的讚嘆，讓我們好好的和親愛的孩子一天一天一起成長吧。

《親親》

文：丁好宣 Jeong Ho-seon ｜圖：丁好宣
譯：艾宇｜出版：讀家文化（中文版已絕版）

一樣是談親吻，南韓作家丁好宣讓一位小女孩以親吻向世界打招呼，先是最喜歡的熊熊、書本、毯子、玩具、魚、白雲，所有喜歡的東西都要親一下！突然間，所有被親吻過的熊熊、書本、毯子、玩具、魚、白雲，全都跑來圍繞著親吻小女孩，不過最棒的親親，還是來自媽媽的親親。

這是一本有趣的書，也適合成為親子互動遊戲書，孩子最喜歡什麼？一樣一樣找出來排整齊，每一種東西親起來又有什麼不同觸感？

你每天早上都有認真向世界打招呼嗎？都有好好親吻喜愛的人開始這一天嗎？一定要記得親親孩子，將祝福與能量傳達出去，親親的力量無窮！

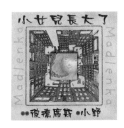

《小女兒長大了》

文、圖：Peter Sis彼德席斯
出版：Square Fish

瑪德蓮有一顆乳牙快掉了，她跑到街上，告訴法國麵包師傅、賣報紙雜誌的印度小販、義大利冰淇淋車的老闆、愛說故事的德國奶奶……

作者彼德席斯是影片製作人，他的運鏡專長發揮於繪本創作上，圖像的配置與視角呈現別出心裁。作家小野的翻譯是畫龍點睛，將各國不同語言的問候語翻譯成與牙齒有關的諧音字詞，法文早安Bonjour變成「碰就搖」、印度招呼語Sathsariakl譯為「傻傻的漱口」，讀起來有趣的不得了。

隨著孩子一天天長大，他們逐漸跨出「家」這個安全堡壘，雖然生活在台灣，不像瑪德蓮能在一條街上環遊世界，但還是可以和左鄰右舍、公園遇到的朋友聊聊家鄉，聽聽台語故事、客家童謠，唱一首英文歌，孩子長大了，認識的世界廣了，但那人與人之間感情是越來越濃。

只願得打嗝……瑪德蓮漢！，我來說個故事給你聽吧！
註：只願得打嗝（Guten Tag）德語日安的諧音

《一位溫柔善良有錢的太太和她的一百隻狗》

文、圖：李瑾倫 | 出版：和英

李瑾倫是近年本土非常優秀的繪本創作者，溫馨柔軟的故事與樸實童真的畫風是她強烈的個人風格。這本書的靈感來自一位收養流浪狗的愛心媽媽，故事很短，但她仔仔細細的畫了一百隻狗，還幫一隻狗取了名字，而且每隻狗都有自己的特色呦。

從威風的「國王」開始，到慢吞吞的「賓果」，太太每天替一百隻狗梳毛、抓跳蚤，用一百個盤子餵飯，到山坡上玩，然後一起回家睡覺，簡單的故事情節，一百隻狗橫跨了一頁又一頁的篇幅。

和孩子一起讀這本書時，試試看一口氣喊出一百隻狗狗的名字，瞧瞧一百隻狗的模樣有什麼不同，比較一百隻狗狗各自在做些什麼，他們看起來多快樂啊！讓我們以這麼溫柔的方式，帶孩子認識「流浪動物」這個議題。

《抱抱》

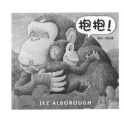

文、圖：傑茲‧阿波羅
譯：上誼出版部｜出版：上誼文化

在森林玩耍的小猩猩，看到了象媽媽與象寶寶抱抱，蛇媽媽與蛇寶寶抱抱，長頸鹿媽媽與長頸鹿寶寶交纏著脖子抱抱，獅子媽媽與獅寶寶也抱著玩呢！沒人抱抱小猩猩寂寞的哭了，猩猩媽媽突然出現，喊著：「寶寶！」

這本書文字簡單，不斷重複「抱抱」，還有最後「寶寶」與「媽媽」兩個詞彙，但是內容精彩極了，不同動物的擁抱方式是那麼的可愛，而對孩子來說，抱抱永遠不嫌多，被父母擁入懷中是那麼的溫暖又愉悅，不必開口就能傳達愛。

而小猩猩最後伸手擁抱其他動物，還有各種動物互相擁抱的畫面，更有「世界大同」的和樂氣氛。我想，只要是張開雙臂、露出笑容，一定比生氣流淚，更容易得到擁抱吧。

推薦書目
分類索引

人與環境、世界

大自然

人生哲理

想像與創造

其他

國家圖書館出版品預行編目（CIP）資料

大人也喜歡的繪本2/ 魏淑貞，賴嘉綾企劃. -- 初版. -- 臺北
市 : 玉山社, 2015.10
冊 ; 公分. -- (星月書房 ; 57-58)

ISBN 978-986-294-115-7（ 第1冊：平裝)--
ISBN 978-986-294-116-4（ 第2冊：平裝)--
ISBN 978-986-294-117-1（ 全套 ：平裝）

1. 繪本 2. 兒童文學 3. 讀物研究

815.9   104019763

星月書房58

大人也喜歡的繪本2

企劃	魏淑貞、賴嘉綾
發行人	魏淑貞
出版者	玉山社出版事業股份有限公司
地址	台北市仁愛路四段145 號3 樓之2
電話	（02）27753736
傳真	（02）27753776
電子信箱	tipi395@ms19.hinet.net
玉山社網址	http://www.tipi.com.tw
郵撥	18599799 玉山社出版事業股份有限公司
特約主編	郭恩惠
美術設計	林秦華
攝影	林茂榮、吳易蓁
業務行銷	陳鈞毅
法律顧問	魏千峰律師
印刷	中原造像股份有限公司
初版一刷	2015 年10 月
定價	兩冊合售　新台幣 580 元

◎行政院新聞局局版北市業字第14 號◎

版權所有 翻印必究

※ 缺頁或破損的書，請寄回更換※